prima plus

Deutsch für Jugendliche

Friederike Jin · Lutz Rohrmann

B 1

Arbeitsbuch

 Deine **interaktiven Gratis-Übungen** findest du auf der CDR, die hinten im Buch liegt, oder hier:

1. Gehe auf scook.de.
2. Gib den unten stehenden Zugangscode in die Box ein.
3. Hab viel Spaß mit deinen Gratis-Übungen.

Dein Zugangscode auf
www.scook.de | z7nfc-w8ajo

B 1 | Deutsch für Jugendliche

Im Auftrag des Verlages erarbeitet von Friederike Jin und Lutz Rohrmann

Redaktion: Lutz Rohrmann, Dagmar Garve
Redaktionsassistenz: Vanessa Wirth
Bildredaktion: Katharina Hoppe-Brill

Beratende Mitwirkung: Michael Dahms, Katrina Griffin, Magdalena Michalak, Katharina Wieland, Milena Zbranková

prima + B 1 basiert auf *prima B 1,* das von Friederike Jin, Magdalena Michalak und Lutz Rohrmann erarbeitet wurde.

Illustrationen: Laurent Lalo, Josef Fraško (S. 52, Einheit 22), Lukáš Fibrich (S. 89)

Layoutkonzept: Rosendahl Berlin, Agentur für Markendesign
Technische Umsetzung: zweiband.media, Berlin
Umschlaggestaltung: Rosendahl Berlin, Agentur für Markendesign

Informationen zum Lehrwerksverbund von prima^plus○
finden Sie unter: www.cornelsen.de/prima-plus

4	Hier gibt es eine Audioaufnahme.
✚	Hier gibt es interaktive Übungen auf der Arbeitsbuch-CD.
🎲	Hier schreibst du Texte für dein Portfolio.

www.cornelsen.de

Im Lernmittel wird in Form von Symbolen auf eine CD-ROM verwiesen, die dem Arbeitsbuch beigefügt ist. Diese enthält – bis auf die Hörverstehensübungen – ausschließlich optionale Unterrichtsmaterialien. Die CD-ROM unterliegt nicht dem staatlichen Zulassungsverfahren.
Soweit in diesem Buch Personen fotografisch abgebildet sind und ihnen von der Redaktion Namen, Berufe, Dialoge und Ähnliches zugeordnet oder diese Personen in bestimmten Situationen dargestellt werden, sind diese Zuordnungen und Darstellungen fiktiv und dienen ausschließlich der Veranschaulichung und dem besseren Verständnis des Buchinhalts.

1. Auflage, 3. Druck 2019

Alle Drucke dieser Auflage sind inhaltlich unverändert
und können im Unterricht nebeneinander verwendet werden.

Druck: AZ Druck und Datentechnik GmbH, Kempten

ISBN: 978-3-06-120654-3

PEFC zertifiziert
Dieses Produkt stammt aus nachhaltig bewirtschafteten Wäldern und kontrollierten Quellen.
www.pefc.de
PEFC/04-31-2260

Das findest du auf der CD-ROM

- alle Audiodateien zum Arbeitsbuch
- die Wortschatzseiten „Deine Wörter", mit denen du dein eigenes Vokabelverzeichnis machen kannst
- Texte zum Weiterlesen zu jeder Einheit, die du lesen kannst, wenn im Schülerbuch ein ⊕ Zeichen steht
- interaktive Übungen, die du am Computer bearbeiten kannst, wenn im Arbeitsbuch das ⊕ Zeichen steht

1 Ich würde gerne …

Sieh die Bilder an und schreib Aussagen und Fragen mit *würde gern* + Infinitiv.

1. Julia — Motorrad fahren

Julia würde gern Motorrad fahren.

2. Amir — Arzt werden

Amir würd gern Arzt werden

3. Zara + Alexis — viel reisen

Ihr würdet gern viel reisen

4. ihr — einen Test schreiben / ?

TEST?

Ihr würdet gern einen Test schreiben

5. Hakim — Klavier spielen

Hakim würde gern Klavier spielen

6. ihr — studieren / ?

Ihr würdet gern studieren?

7. du — in Berlin wohnen / ?

Du würdest gern in Berlin wohnen?

8. Und du?

Ich *würde gern eine Katze*

2 Eine Geschichte: Drei Wünsche

a Ergänze den Text.

~~erfüllen~~ – ~~erscheint~~ – ~~hätte~~ – hätte – ~~ist~~ – müssen – schönen – überlegen – wäre – ~~wäre~~ – ~~wart~~ – ~~würde~~

Kurz vor den Ferien **müssen** drei Lehrer ihre Notenlisten schreiben. Da **erscheint** vor ihnen ein alter Zauberer und sagt: „Ihr **wart** so fleißig und deshalb **würde** ich gerne jedem von euch einen Wunsch **erfüllen**." Herr Köhler muss nicht lange überlegen und sagt: „Ich **hätte** gerne schon alle Zeugnisse fertig und **wäre** gerne in den Bergen mit wunderschönen, grünen Wiesen." Und *BLING* **ist** er in den Alpen und alle Zeugnisse sind fertig. Da muss auch Frau Mahn nicht lange **überlegen**: „Ich _____ gerne meine Zeugnisse fertig und _____ dann am liebsten mit meinem Mann und meinen Kindern am Mittelmeer auf einem _____ Schiff." Und *BLING* ist sie mit ihrer Familie auf einem schönen Schiff.

b Schreib den Schluss.

Dann kommt Herr Deter. Er liebt die Schule und freut sich schon auf den ersten Schultag.

Er ist sauer, dass er jetzt alleine ist, und sagt:

[handwritten: Wenn er mehr die Möglichkeit hätte, würde er ein Praktikum in Deutschland machen]

3 Wenn ich Zeit hätte …

Schreib die Sätze 1–8 wie im Beispiel.

1. ich / mehr Zeit / haben – ich / Musik machen / . *[handwritten: Wenn ich mehr Zeit hätte, würde ich Musik machen]*
2. er / die Möglichkeit / haben / – er / ein Praktikum in Deutschland / machen / .
3. wir / mehr Freizeit haben – wir / glücklicher / sein / . *[handwritten: Wenn wir mehr Freizeit hätten, würden wir glücklicher sein]*
4. du / Zeit haben – ich / dich / besuchen / . *[handwritten: Wenn ich mehr Zeit hätte, würdest du besuchen dich]*
5. ich / Geld / haben – ich / mir / ein neues Fahrrad / kaufen / . *[handwritten: Wenn ich ein neues Fahrrad hätte, würde ich Geld kaufen]*
6. ich / mutiger / sein – ich / in Wien studieren / .
7. ich / gut Chinesisch / sprechen – ich / in Shanghai / studieren / . *[handwritten: Wenn ich gut Chinesisch sprechen würde, würde ich in Shanghai studieren]*
8. er / gute Noten haben – er / Mathematik / studieren / . *[handwritten: Wenn er eine gute Noten hätte, würde er Mathematik studieren]*

[handwritten: Wenn ich mehr mutiger sein würde, würde ich in Wien studieren]

[note box: 1. Wenn ich mehr Zeit hätte, würde ich Musik machen.]

4 Reisen

a Ergänze die Präteritum- und Konjunktiv-II-Formen. Markiere die Unterschiede.

	müssen	können	dürfen	wollen
ich/er/es/sie/man	m u sste			
	m u sste			
du				
wir/sie/Sie				
ihr				

b Höfliche Vorschläge, Bitten, Hinweise – Schreib die Konjunktivsätze.

1. können / wir / nach der Schule / eine Reise nach Portugal / machen / .
2. dürfen / wir / am Wochenende / ausleihen / eure Fahrräder / ?
3. müssen / bald mal / unsere Sommerferien / planen / wir / .
4. können / auf unsere Tochter / am Freitag / du / aufpassen / ?
5. müssen / du / morgen / anrufen / deine Eltern / .

[note box: 1. Wir könnten nach der Schule eine Reise nach Portugal machen.]

c Ergänze die fehlenden Verben im Dialog: Konjunktiv II, Präteritum oder Präsens.

● Jara, was _willst_ du _machen_ , wenn du mit der Schule fertig bist? (wollen/machen)

■ Am liebsten _würde_ ich ein Jahr _reise_ (reisen).

● Das _woll_ ich damals auch _machte_ , (wollen/machen) aber ich _könne_ (können) leider nicht, weil meine Eltern nicht viel Geld _hätten_ . (haben)

■ Aber du _könntst_ (können) eine Reise bezahlen, wenn du wolltest, oder?

● Ich _könne_ vielleicht schon (können), aber ich _woll_ nicht. (wollen)

■ Ach, Papa, du _müsst_ (müssen) ja gar nicht alles bezahlen.

5 Es wäre mein Traum …

Zitate zum Thema „Träume". Ordne 1–6 und a–f zu.

1. Träume sind Brücken zwischen _f_
2. Träume gehen nur in Erfüllung, _d_
3. Nur wer träumen kann, _a_
4. Ich träume, dass mich hoffentlich _c_
5. In seinen Träumen ist der _b_
6. Das Leben wäre unerträglich, _e_

a) kann auch die Welt verändern. *Anonym*
b) Mensch ein Genie. *Akira Kurusawa*
c) niemand aufweckt. *Anonym*
d) wenn man selbst etwas dafür tut. *Anonym*
e) wenn wir nie träumen würden. *Anatole France*
f) Himmel und Erde. *Andreas Tenzer*

6 Ich denke oft an meine Zukunft …

a Ergänze die Sätze.

Angst – Ausland – Familie – Leben – Leben – Meinung – ~~Stelle~~ – Welt – Zukunft

1. Ich möchte eine gute _Stelle_ haben und gut verdienen.
2. Zurzeit bin ich mit meinem _____ zufrieden.
3. Ich habe _____, dass meine Träume nicht in Erfüllung gehen.
4. Was ich in der _____ machen will, weiß ich noch nicht.
5. Ich bin der _____, dass man sein _____ genießen muss.
6. Mein großer Traum ist, dass ich ein paar Jahre im _____ leben und arbeiten kann.
7. Ich möchte eine _____ haben mit drei Kindern.
8. Ich kann die _____ nicht verändern, aber ich kann etwas tun.

2–5 **b** Du hörst vier Aussagen. Lies zunächst die Sätze a–f. Du hast dafür eine Minute Zeit.
Entscheide beim Hören, welcher Satz zu welcher Aussage passt. Zwei Sätze bleiben übrig.

1 Franzek   2 Ashtar   3 Sven   4 Yola

_a_ _____   _____   _____   _____

a) Man kann heute keine Pläne machen, weil sich alles so schnell ändert.
b) Ich habe feste Pläne für mein Leben.
c) Man muss seine Zukunft planen, auch wenn dann alles anders kommen kann.
d) Nach der Lehre will ich studieren.
e) Zurzeit kann ich mir nicht vorstellen, dass ich studiere.
f) Ich will im Geschäft von meinem Vater arbeiten.

c Hör den Text von Franzek noch einmal. Schreib ihm eine Antwort. Vergleiche seine Pläne mit deinen. Vergleicht eure Texte in der Klasse.

Lieber Franzek,
ich habe im Schülerradio deine Aussage über deine Zukunft gehört.
Ich …

Träume und Wünsche äußern

Ich hätte gern ein schönes Haus mit Garten.

Wir wären alle gerne reich und würden gerne eine Weltreise machen.

Bedingungen nennen

Wenn ich Geld hätte, würde ich viel reisen.

Wenn ich Pilotin wäre, dann würde ich viel reisen.

Ich würde auf jeden Fall Musik studieren, wenn ich gut genug wäre.

Wenn ich jetzt sofort verreisen dürfte, dann würde ich nach Berlin fliegen.

Über Zukunftspläne sprechen

Ich möchte anderen helfen und eine gute Stelle haben.

Heiraten möchte ich nicht unbedingt, aber ich hätte gerne Kinder.

Nach der Schule gehe ich erst einmal ins Ausland.

Ich wünsche mir, dass ich mit 40 eine Familie mit drei Kindern habe.

Mit 70 will ich sagen können, dass ich Spaß im Leben hatte und nichts bereuen muss.

Ob das alle klappt, weiß ich nicht.

Außerdem kannst du ...

... ein Gespäch zwischen Vater und Tochter über Reisepläne verstehen.

... Aussagen über Zukunftspläne verstehen.

Grammatik   kurz und bündig

Konjunktiv-II-Sätze

Den Konjunktiv II von den meisten Verben bildet man so:

	werden: Konjunktiv II		Verb im Infinitiv
Ich	würde	gern in Australien	tauchen.

Bei sein, haben und den Modalverben benutzt man diese Konjunktiv-II-Formen:

Wir wären alle gern intelligent. (= Wir würden alle gern intelligent sein.)

Ich hätte gern ein schnelles Auto. (= Ich würde gern ein schnelles Auto haben.)

Ihr könntet am Wochenende zu uns kommen, wenn ihr wolltet.

Konjunktiv-II-Formen: *sein, haben, werden* und die Modalverben

Infinitiv	sein	haben	werden	müssen	können	dürfen	wollen
ich/er/es/sie/man	wäre	hätte	würde	müsste	könnte	dürfte	wollte
du	wärst	hättest	würdest	müsstest	könntest	dürftest	wolltest
wir/sie/Sie	wären	hätten	würden	müssten	könnten	dürften	wollten
ihr	wärt	hättet	würdet	müsstet	könntet	dürftet	wolltet

Die Endungen von sein und haben im Konjunktiv II sind fast alle wie im Präteritum.

! 1. und 3. Person Singular: wäre

Die Konjunktiv-II-Formen der Modalverben sind fast identisch mit den Formen im Präteritum.

1 Erfolgreiche Menschen – alle auf ihre Art

a Hier sind fünf Wörter aus dem Hörtext im Schülerbuch. Ergänze die Sätze.

Sprache – geblieben (bleiben) – zusammengehalten (zusammenhalten) – Kontakt – unglücklich

1. In einem neuen Land hat man zuerst wenig _____ mit den Menschen.

2. Man muss als Erstes die _____ lernen.

3. Mein Großvater wollte nach Hause, aber er ist dann doch in Deutschland _____.

4. Viele Menschen sind zuerst sehr _____, wenn sie von zu Hause weg sind.

5. Meine Großmutter hat immer die Familie _____.

6 **b Sibel erzählt von ihren Großeltern.**
   Hör zu und markiere R **richtig oder** F **falsch.**

1. Sibels Großeltern haben in Deutschland Arbeit gefunden. R F

2. Sie haben leicht Deutsch gelernt. R F

3. Sie wollten immer in Deutschland bleiben. R F

4. Ihre Kinder, Sibels Mutter und ihr Onkel Güven, sind in Deutschland zur Schule gegangen. R F

5. Sibel findet, dass ihre Großeltern erfolgreich waren. R F

6. Die Großeltern waren froh, dass ihre Tochter einen Deutschen geheiratet hat. R F

2 Biografien

Ergänze die Texte.

Text 1

benachteiligte – ~~geht~~ – ~~gewonnen~~ – ~~kümmert~~ – ~~zählt~~

Philipp Lahm _zählt_ zu den bekanntesten deutschen Fußballern. Er hat mit seinem Verein, Bayern München, und mit der deutschen Nationalmannschaft viele Pokale und Meisterschaften _gewonnen_.
Es _geht_ ihm nicht nur um seinen eigenen Erfolg, er _kümmert_ sich auch um _benachteiligte_ Kinder.

Text 2

bedeutendste – ~~begeistert~~ – ~~damals~~ – ~~verwirklicht~~

Pina Bausch hat sich schon als Kind für das Tanzen _begeistert_. Sie musste ihren Eltern in der Gaststätte helfen, aber schon _damals_ hat sie mit Ballettunterricht angefangen und in Theaterstücken mitgespielt.
Mit 21 Jahren war sie international bekannt.
Sie hat ihren Traum _verwirklicht_ und ist Tänzerin und Choreographin geworden. Sie ist die
bedeutendste deutsche Choreographin im 20. Jahrhundert.

Text 3

~~aufgegeben~~ – Erfolg – ~~kämpft~~

Titus Dittmanns Firma für Skateboards war nicht immer
erfolgreich, aber er hat für seine Ideen gekämpft und nicht
auf gegeben . Er sagt, dass es wichtig ist, dass
man für seine Ideen _kämpft_ .
Dann kann man auch _Erfolg_ haben.

Text 4

aufgewachsen – eingesetzt – ~~geboren~~ – Kamera

Anke Engelke ist 1965 in Montreal _geboren_ .
Sie ist mit Deutsch, Englisch und Französisch
aufgewachsen . Seit ihrer Kindheit steht sie als
Sängerin, Schauspielerin, Moderatorin und Komikerin vor der
Kamera . Sie hat sich auch für politische und
soziale Ziele _eingesetzt_ .

3 Ich interessiere mich für …

a Ergänze die Sätze wie im Beispiel.

kämpfen gegen – beginnen mit – ~~(sich) engagieren für~~ – (sich) interessieren für – (sich) freuen auf –
(sich) ärgern über – telefonieren mit – (sich) kümmern um

1. Viele Schüler in Deutschland _engagieren_ sich _für_ soziale Projekte.
2. Andere Schüler _____ _____ Intoleranz und Gewalt in der Schule.
3. Rolf _____ sich nur _____ seine Musik.
4. Wir haben uns _____ unsere schlechten Mathenoten _____ .
5. Ich habe _____ deiner Lehrerin _____ . Sie macht sich Sorgen.
6. Du musst früher _____ dem Lernen _____ , denn die Prüfung ist schwer.
7. Fredi kommt nicht. Er muss sich _____ seine kleine Schwester _____ .
8. Sylvie _____ sich _____ die Ferien. Sie will nach Spanien fahren.

b Wo kommt ein *r* dazu und wo nicht? Schreib *r* oder ⌣ .

wo [r] an   wo [⌣] mit   wo [ ] für   wo [ ] aus   wo [ ] über

wo [ ] bei   wo [ ] gegen   wo [ ] in   wo [ ] um   wo [ ] rauf

c Person oder Sache? Ergänze die Fragewörter. Es gibt zum Teil mehrere Möglichkeiten.

Wogegen – Wofür – Worum – Mit wem – Für wen – ~~Gegen wen~~ – Um wen

1. _Gegen wen_ hat Deutschland 2014 die Fußballweltmeisterschaft gewonnen?
2. _____ kümmert sich das Rote Kreuz?
3. _____ kämpft GREENPEACE?
4. _____ engagiert sich UNICEF?
5. _____ möchtest du gerne mal in Urlaub fahren?

d Recherchiere und beantworte die Fragen von 3c. Vergleicht in der Klasse.

4 Ein Interview mit dem Psychologen Professor Stein

a Lies die Meinungen von Semra und Mitja. Wie finden sie Vorbilder? Kreuze an.

Semra

Viele von meinen Klassenkameraden haben einen Popstar oder einen Sportler als Vorbild. Ich lese gerne im Internet über viele verschiedene Personen und finde das sehr interessant. Aber wenn ich ein Problem habe, dann kann mir die Geschichte von anderen Leuten auch nicht helfen. Jede Situation ist ja anders. Dann muss ich selbst entscheiden, was ich machen möchte und was ich gut finde. Deshalb glaube ich nicht, dass alle Menschen Vorbilder haben, so wie Professor Stein sagt.

wichtig □   nicht wichtig □

Mitja

Ich finde, es gibt einige besondere Menschen, die sehr viele gute Ideen haben und die besonders erfolgreich sind. Ich weiß, dass ich nicht so gut sein kann. Aber wenn ich von diesen Menschen lese oder höre, wie sie etwas gemacht haben, dann möchte ich es auch ausprobieren. Wenn man von erfolgreichen Leuten hört oder liest, dann macht das Mut. Mir hat das schon oft geholfen.

wichtig □   nicht wichtig □

b Findest du Vorbilder wichtig? Was denkst du über das Interview mit Professor Stein? Schreib und begründe deine Meinung.

5 Malala Yousafzai – die jüngste Nobelpreisträgerin aller Zeiten

a Sätze verbinden – Schreib die Sätze.

1. Malala / gekämpft / hat / für Bildung, / deshalb / angegriffen / haben / die Taliban / sie / .
2. Jetzt / sowohl / leben / Malala / ihre Familie / als auch / in Großbritannien / .
3. Als / 2014 / den Friedensnobelpreis / bekommen / Malala / hat, / sie / eine Rede / hat / gehalten / .
4. Wenn / so mutig / alle Menschen / wären, / man / die Probleme in der Welt / könnte / lösen / .

1. Malala hat für ...

b Nelson Mandela – Lies den Text. In dem Text sind 15 Fehler. 5-mal Groß-/Kleinschreibung, 5 Verben stehen falsch, 5 Präpositionen sind falsch. Korrigiere den Text.

Ich habe Nelson Mandela ausgewählt, weil Ich finde es toll, dass er sein ganzes Leben lang auf sein Ziel gekämpft hat. sein Leben war nicht einfach. Er ist geboren 1918 nach Südafrika und hat schon als Junger Mann zu dem Kampf gegen den Rassismus angefangen. Er deshalb musste 27 Jahre ins Gefängnis. Aber auch am Gefängnis hat er seine Ideen nicht aufgegeben. Er ist in der ganzen welt berühmt geworden, und 1994 war er der erste schwarze Präsident in Südafrika. Die weißen Rassisten haben viele Gewalttaten verübt, aber trotzdem Mandela hat sich immer über den Dialog zwischen weißen und schwarzen Südafrikanern eingesetzt. Er wollte nicht, dass die schwarzen Afrikaner kämpfen vor die weißen Afrikaner. Er war ein sehr kluger, mutiger und sehr starker mensch. Deshalb ist er mein Vorbild.

Über Biografien sprechen

Er/Sie ist 1986 in Kanada geboren und in Deutschland aufgewachsen.

Er/Sie hat eine Ausbildung als … gemacht / hat an der Universität … studiert.

Er/Sie ist eine/r der bedeutendsten deutschen Tänzer/innen.

Er/Sie hat eine Firma gegründet / viele Preise gewonnen / eine Karriere als … gemacht.

Er/Sie ist nicht nur beruflich erfolgreich, sondern setzt sich auch für benachteiligte Kinder ein.

Es geht ihm/ihr nicht nur um Geld, er/sie kümmert sich auch um soziale Projekte.

Über Vorbilder sprechen

Mein Vorbild ist/heißt …

Ich finde, Malala ist ein gutes Vorbild, weil …

Ich finde (besonders) interessant, dass …,
    aber ich finde nicht gut, dass/wenn …

Ich finde es gut, wenn Frauen/Männer …

Mich hat überrascht/beeindruckt, dass …

Ich finde es sehr beeindruckend, dass …

Wenn ich … wäre, würde ich auch …

Wenn ich Superwoman wäre, würde ich morgen die Welt retten.

Außerdem kannst du …

… Texte über Vorbilder verstehen und schreiben.

Grammatik   kurz und bündig

Verben mit Präpositionen

Viele Verben stehen oft mit einer Präposition zusammen. Man muss sie auswendig lernen.

sich interessieren für + Akkusativ	Ich interessiere mich **für**	Mode / den neuen Laptop HMX.
sich ärgern über + Akkusativ	Ich ärgere mich **über**	intolerante Menschen / den Test.
sich freuen auf + Akkusativ	Ich freue mich **auf**	die Ferien / meinen Geburtstag.
~~sich freuen über + Akkusativ~~	~~Ich freue mich über~~	meine gute Noten / das Geschenk.
sich kümmern um + Akkusativ	Ich kümmere mich **um**	meinen Bruder / die Schulbibliothek.
telefonieren mit + Dativ	Ich telefoniere oft **mit**	Jitka / meiner Oma / meinem Opa.
diskutieren mit + Dativ	Ich diskutiere oft **mit**	Pedro / meiner Mutter / meinem Vater.

Arbeite regelmäßig mit der Liste auf Seite 137–138 im Schülerbuch.

Fragen bei Verben mit Präpositionen

Sachen	**Wor**auf freust du dich?	**Auf** die Ferien.
	Wofür interessierst du dich?	**Für** Sport.

Wenn die Präposition mit einem Vokal beginnt, dann steht ein *r* zwischen W-Wort und Präposition: worauf, worüber, worum …

Personen	**Auf wen** wartest du?	**Auf** meinen Bruder.
	Für wen engagiert er sich?	**Für** benachteiligte Kinder.
	Mit wem telefonierst du?	**Mit** meiner Freundin.

1 Berufe

Wortschatzwiederholung – Ergänze die Sätze mit den Berufen und den Verben in der richtigen Form. Zu welchen vier Sätzen passen die Fotos?

erklären – filmen – fliegen – helfen – reparieren – machen

1. Meine Schwester wird _Kamerafrau_ . Sie liebt Kino und _filmen_ den ganzen Tag.
2. Meine Mutter ist _Pilotin_ . Gestern ist sie nach Australien _geflogen_ .
3. Mein Bruder wird _Mechaniker_ . Er hat meine Lampe _repariert_ .
4. Ich liebe Kinder und kann gut _erklären_ . Vielleicht werde ich mal _Lehrerin_ .
5. Mein Onkel _macht_ Interviews für das Radio. Er ist _Nachrichtenreporter_ .
6. Bei Zahnschmerzen _hilft_ mir mein Onkel. Er ist _Zahnarzt_ .

2 Wortschatz Berufe

a Berufe und Tätigkeiten – Ordne zu. Es gibt verschiedene Möglichkeiten.

bauen – bedienen – beraten – betreuen – entwickeln – helfen – interpretieren – kontrollieren – leiten – lesen – organisieren – planen – rechnen – schneiden – überprüfen – unterrichten – untersuchen – verkaufen – verschreiben – verteidigen – waschen – zeichnen

1. der/die Handwerker/in — _bauen, überprüfen ..._
2. der Arzt / die Ärztin — _helfen, verschreiben, untersuchen_
3. der/die Frisör/in — _lesen, schneiden, waschen,_
4. der/die Mediendesigner/in — _entwickeln, planen, zeichnen_
5. der Anwalt / die Anwältin — _interpretieren, verteidigen_
6. der/die Richter/in — _kontrollieren_
7. der/die Universitätsprofessor/in — _beraten, betreuen, rechnen, überprüfen, untersuchen_
8. der/die Bauingenieur/in — _leiten, zeichnen_
9. der/die Verkäufer/in — _bedienen, organisieren, verkaufen_

b Schreib für fünf Beispiele aus 2a je einen Beispielsatz.

Ein Handwerker berät seine Kunden. Er repariert Geräte.

3 Etwas genauer sagen – Relativsätze

a Was passt zusammen? Ordne zu.

1. Ich will an einer **Schule** lernen, _____ a) das aus fünf Leuten besteht.
2. Mein Bruder hat ein **Hobby**, _____ b) das sehr teuer ist.
3. Ich hatte einen **Mathelehrer**, _____ c) die ziemlich kompliziert ist.
4. Ich habe einen guten **Freund**, _____ d) der interessant und abwechslungsreich ist.
5. Atomphysik ist eine **Wissenschaft**, _____ e) der Musiker werden will.
6. Wir arbeiten in einem **Team**, _____ f) die das Fest planen, wenn jemand heiratet.
7. Elektriker ist ein **Beruf**, __1__ g) die viele AGs in Naturwissenschaften hat.
8. Hochzeitsplaner sind **Leute**, _____ h) der ein echtes Talent in seinem Fach war.

b Beende die drei Sätze für dich.

1. Ich möchte an einer Universität studieren, _____ .
2. Ich möchte später einen Beruf haben, _____ .
3. Ich habe ein Hobby, _____ .

4 Stärken und Schwächen

a Schreib Relativsätze.

1. Ich will ein Studium machen ▼. **Das Studium** macht mir Spaß.
2. Mein Freund ▼ sucht einen Ausbildungsplatz. **Der Freund** will nicht studieren.
3. Das Medizinstudium ▼ dauert fünf Jahre. **Das Medizinstudium** ist sehr anspruchsvoll.
4. Mein Onkel ▼ ist Mathematikprofessor. **Den Onkel** habe ich seit Jahren nicht gesehen.
5. Uhrmacher ist ein Beruf ▼. **Den Beruf** gibt es nicht mehr sehr oft.
6. Anwälte ▼ müssen viel arbeiten. **Die Anwälte** wollen erfolgreich sein.
7. Meine Schwester ▼ ist schon sehr nervös. **Die Schwester** bekommt Besuch aus Deutschland.
8. Mein Vater ▼ hat mir meine erste Geige geschenkt. **Der Vater** ist Musiker.
9. Ich möchte ein Auto fahren ▼. **Das Auto** braucht kein Benzin.
10. Der Film ▼ war spannend. Ich habe **den Film** gesehen.

1. Ich will ein Studium machen, das mir Spaß macht.
2. Mein Freund, der ...

b Ergänze die Relativpronomen im Nominativ oder Akkusativ.

Mein Tipp:
Suche zuerst, ob es im Relativsatz schon ein Subjekt gibt.

1. Mein Vater hat einen Beruf, *den* er sehr mag.
2. Morgen kommt ein Freund zu mir, _____ mir Physik erklären kann.
3. Die Mathelehrerin, _____ ich in Klasse 8 hatte, werde ich nie vergessen.
4. Die Schule, _____ ich besucht habe, hatte über 2000 Schüler.
5. Der Berufsberater, _____ ich besucht habe, hat mir Tipps gegeben.
6. Der Test, _____ ich dort gemacht habe, war ziemlich schwierig.
7. Nach der Schule will ich eine Reise machen, _____ drei Monate dauert.
8. Leo will ein Wissenschaftler werden, _____ weltberühmt ist.

c Beruf „Rettungspilot" – Lies und ergänze den Text.

fliegt – Hubschrauber – Minuten – Pilot – Traumberuf – traurig

Rico Engel ist _____ von „Christoph 6".

Das ist ein Rettungshubschrauber.

Rico _____ schon seit 28 Jahren und für

ihn ist das ein absoluter _____ .

„Natürlich wird man zu Notfällen gerufen, die furchtbar sind und

sehr _____ machen. Da muss man stark

sein und darf nicht nervös werden. Das gehört zu diesem Beruf",

sagt Rico. Im Durchschnitt braucht das Rettungsteam vier bis

sieben _____ bis zum Unfallort.

Die Höchstgeschwindigkeit von einem _____

ist etwa 250 km/h.

d Du hörst Gespräche über das Thema „Schule und Beruf". Überlege vor dem Hören:
Welcher Wortschatz kann in diesen Gesprächen vorkommen?

7–8   **e** Höre die zwei Gespräche. Zu jedem gibt es zwei Aufgaben. Kreuze die richtigen Antworten an.

1. Das ist ein Gespräch zwischen einer   Richtig   Falsch
   Berufsberaterin und einer Schülerin.

2. Worum geht es?   a Die Schülerin will mit der Schule aufhören.
      b Die Schülerin weiß nicht, was sie werden will.
      c Die Schülerin hat Angst vor Prüfungen.

3. Ein Firmenmitarbeiter spricht mit   Richtig   Falsch
   einem Schüler.

4. Der junge Mann sucht   a eine Arbeitsstelle.
      b einen Ferienjob.
      c einen Praktikumsplatz.

5   Deine Stärken

a Notiere drei Stärken und drei Schwächen von dir.

Stärken	Schwächen
_____	_____
_____	_____
_____	_____

b Wie könntest du eine von deinen Schwächen reduzieren?
Lies das Modell und schreib danach einen Text über dich.

> Ich habe das Problem, dass ich sehr oft meine Schulsachen zu Hause
> vergesse. Das liegt daran, dass ich morgens sehr früh aufstehen muss.
> Dann muss ich ganz schnell die Schulsachen packen. Wenn ich meine
> Schulsachen immer schon abends packen und morgens kontrollieren
> würde, dann könnte ich vielleicht das Problem lösen.

Über Berufe sprechen

Ich finde den Beruf „Geigenbauer" interessant.

Ich möchte Handwerker werden. Ich arbeite gerne mit den Händen.

Ased will als Wissenschaftlerin an der Universität arbeiten.

Mehmet weiß noch nicht, was er werden möchte.

Einen Beruf genauer erklären / Zusätzliche Informationen geben

Mediendesignerin ist ein Beruf, der sehr kreativ ist.

Ich will einen Beruf haben, der mit Menschen zu tun hat.

Ein Professor, den ich kenne, hat mir von seiner Arbeit erzählt.

Die Arbeit, die ich mal mache, muss gut bezahlt sein.

Viele, die ein Mathematikstudium beginnen, hören vor dem Examen auf.

Über eigene Stärken und Schwächen sprechen

Ich interessiere mich für Technik.

Ich kann elektrische Geräte reparieren.

Ich kann gut mit Menschen umgehen.

Ich bin (nicht) sehr genau.

In Mathe bin ich nicht so gut.

Außerdem kannst du ...

... Texte über Berufs- und Ausbildungswünsche verstehen.

... einen Fragebogen zu Stärken und Schwächen beantworten.

Grammatik	kurz und bündig

Relativsätze

Die Relativpronomen im Nominativ und Akkusativ sind identisch mit den Artikeln.
Nominativ: der/das/die – Akkusativ: den/das/die.

Nominativ   Ich möchte einen Beruf, der interessant ist.

Ich möchte ein Fahrrad, das schön ist.

Er hat eine Idee, die richtig gut ist.

Wir möchten Tests, die nicht so schwer sind.

Akkusativ   Ich möchte einen Beruf, den ich interessant finde.

Ich möchte ein Fahrrad, das ich überall fahren kann.

Er hat eine Idee, die er bald verwirklicht.

Wir möchten Tests, die wir einfach lösen können.

Der Relativsatz steht nahe bei dem Nomen, das er genauer definiert.

Das Geld, das **auf dem Tisch liegt**, ist für dich.

Mit den Noten, die **du hast**, kannst du Medizin studieren.

Der Beruf, den **du machen willst**, ist sehr interessant und abwechslungsreich.

Für die meisten Berufe, die **es heute gibt**, braucht man eine Ausbildung.

1 Familienleben

Ergänze die Präpositionen in Text 1 und 2.

Text 1

bei – für – für – in – in – mit – mit – über

Ich glaube, wir sind eine ganz normale Familie. Meine Eltern sind immer _____ uns da. Ich habe zwei Geschwister, einen Bruder und eine kleine Schwester. Wir wohnen _____ einer kleinen Stadt _____ Kiel. _____ meinem Bruder verstehe ich mich gut. Er spielt auch gerne Tischtennis und wir sind zusammen _____ einer Mannschaft und er mag auch meine Musik und Spiele. Meine kleine Schwester interessiert sich _____ andere Sachen als ich. Sie redet _____ ihren Freundinnen immer _____ Kleider und Popstars.

Text 2

am – bei – bei – für – für – für – mit – mit – mit

Ein große Familie finde ich nicht so wichtig. Ich lebe _____ meinem Vater zusammen. Nach der Scheidung von meinen Eltern war ich _____ Wochenende auch oft _____ meiner Mutter, aber jetzt habe ich keine Lust mehr. Sie hat sowieso nie Zeit _____ mich. Sie arbeitet ziemlich viel und jetzt hat sie einen neuen Freund und mit dem verstehe ich mich nicht gut. Er tut immer so freundlich, aber ich glaube, er mag mich nicht, weil er lieber _____ Mama alleine sein will. Früher habe ich oft _____ meinem Vater gestritten, aber jetzt sind wir ein bisschen wie Freunde. Ich kann ihm alles erzählen. Er hilft mir _____ allen Problemen und setzt sich _____ mich ein. Er ist der wichtigste Mensch _____ mich.

2 Wohnformen und Familientypen

a Ergänze die Relativpronomen.

1. Meine kleinen Geschwister, auf *die* ich oft aufpassen muss, nerven manchmal.
2. Meine Großeltern, mit _____ ich mich gut verstehe, wohnen leider weit weg.
3. Der Job als Babysitter, für _____ ich mich bewerben will, ist gut bezahlt.
4. Meine Freunde, mit _____ ich seit der ersten Klasse befreundet bin, verlassen leider die Schule.
5. Chemie ist das Fach, für _____ ich mich am meisten interessiere.

b Ergänze die Präposition und das Relativpronomen.

1. Eine Familie ist eine Gruppe, *zu* *der* mehrere Generationen gehören.
2. Ein Einfamilienhaus ist ein Haus, _____ _____ eine Familie wohnt.
3. Ein Freund ist ein Mensch, _____ _____ man sich einsetzt.
4. Ein Verwandter ist ein Mensch, _____ _____ man zu einer Familie gehört.
5. Eine Schere ist ein Werkzeug, _____ _____ man z. B. Papier schneiden kann.
6. Ein Stuhl ist ein Möbelstück, _____ _____ man sich setzen kann.

c Definiere die Begriffe 1–6. Die Wörter und Ausdrücke im Kasten helfen dir.

1. der Erwachsene
2. der Jugendliche
3. das Kind
4. das Baby
5. die Großeltern
6. Freunde

mindestens 18 Jahre alt – für sich selbst verantwortlich sein – zwischen 14 und 18 Jahre alt – bis 14 Jahre – den Eltern helfen – einerseits von den Eltern abhängig, andererseits sehr selbstständig – noch nicht laufen können – alt sein – (um diesen Menschen) müssen sich die Eltern viel kümmern – bis ungefähr ein Jahr alt – wählen dürfen – noch nicht reden können – sich gegenseitig helfen – die Enkel lieben

Ein Erwachsener ist ein Mensch, der mindestens 18 Jahre alt ist, der ...

3 Rollen in der Familie

a Ergänze eine passende Formulierung in der richtigen Form.

traditionelle Rollenverteilung – weit verbreitet – Minderheit – sich ändern – einen Teil vom Gehalt

1. Nur wenige Männer kümmern sich um Kinder und Haushalt. Diese Männer sind eine

   _____ .

2. Die _____ sieht die Frau als Hausfrau und den Mann als Geldverdiener.

3. Die Vorstellung, dass Frauen den Haushalt besser machen, ist

   _____ .

4. Die deutsche Gesellschaft hat _____ in den letzten 30 Jahren sehr _____ .

5. In der Elternzeit zahlt der Staat _____ .

b Ordne zu und schreib Sätze wie im Beispiel. Vergleiche in der Klasse.

1. für den Haushalt   ____ a) helfen
2. die Kinder   ____ b) annehmen
3. sich um die Kinder   _1_ c) verantwortlich sein
4. ein Angebot   ____ d) befürchten
5. im Haushalt   ____ e) kümmern
6. Nachteile   ____ f) betreuen

1+c Auch heute noch sind meistens die Frauen für den Haushalt verantwortlich.

4 Debatte: Können Jungen Babysitter sein?

9–12

Martha, Fatima, Jan und Eni sagen ihre Meinung. Hör zu und entscheide: Welcher Satz passt zu wem? Ein Satz passt zu keinem Jugendlichen.

1. Jungen sollten sich andere Jobs suchen. _____
2. Wichtig ist, dass der Junge das wirklich machen will. _____
3. Man kann lernen, ein guter Babysitter zu sein. _____
4. Jungen sind nicht gut auf den Job als Babysitter vorbereitet. _____
5. Männliche und weibliche Babysitter können gleich gut sein. _____

5 Was wäre, wenn …?

a Schreib die Sätze.

1. Wenn / zur Schule gehen müssen / ich / nicht /,   Zeit für mein Hobby haben / ich / .
2. Wenn / meine Oma / Millionärin sein /,   sie / mir / ein Auto / kaufen / .
3. Wenn / gut tanzen können / ich /,   ich / berühmt werden / .
4. Wenn / nicht Brüder, sondern Schwestern / ich / haben / ,   mein Leben / leichter / sein / .

1. Wenn ich nicht …

b Schreib die acht Wünsche.

1. Er ist 16 Jahre alt. (18)
2. Er hat blonde Haare. (schwarze Haare)
3. Er hat zwei Schwestern. (zwei Brüder)
4. Er spielt Gitarre. (Schlagzeug)

5. Er fährt noch nicht Auto. (Auto fahren)
6. Er geht noch zur Schule. (zur Uni gehen)
7. Er tanzt schlecht. (gut tanzen)
8. Er ist klein. (groß)

⊕ *1. Er ist 16 Jahre alt. Aber er wäre gerne schon 18.*

6 Statistik

a Lies die Grafik und kläre die unbekannten Wörter mit dem Wörterbuch.

Welchen Begriff oder welche Eigenschaft bringen Sie am stärksten mit „Familie" in Verbindung?

Diese Statistik zeigt die Ergebnisse einer Umfrage zu Assoziationen zum Begriff „Familie" in Wien im Jahr 2015. Die Eigenschaft „Vertrauen" brachten 9 Prozent der Befragten in Österreich mit „Familie" in Verbindung.

Begriff	Prozent
Geborgenheit	28 %
Liebe	20 %
Zusammenhalt	19 %
Unterstützung / füreinander da sein	10 %
Vertrauen	9 %
Verständnis	6 %

Quelle: © Statista 2016 (Auszug)

b Lies die drei Meinungen. Welche Begriffe aus der Grafik sind für Elena, Lukas und Paul besonders wichtig? Ordne zu.

In meiner Familie fühle ich mich zu Hause, ich fühle mich sicher und geschützt, denn ich gehöre immer dazu. Mit Freunden ist das anders. Mit vielen, die ich früher gut gekannt habe, habe ich jetzt nicht mehr viel zu tun. Mit einigen habe ich mich auch zerstritten. Dafür habe ich auch neue Freunde gefunden. Freunde wechseln viel mehr, die Familie ist stabil.

Elena, 17 Jahre

Meine Eltern sind geschieden und deshalb hat Familie für mich nicht die Bedeutung, die sie vielleicht haben könnte. Aber auch wenn sie nicht zusammenwohnen, meine Eltern bleiben doch meine Eltern und sind meine Familie. Sie sind immer für mich da, wenn ich mal Probleme habe.

Lukas, 16 Jahre

Ich habe drei Brüder und eine Schwester. Außerdem wohnen meine Großeltern bei uns im Haus. Bei uns ist immer viel los. Natürlich gibt es auch oft Streit, besonders mit meinem Zwillingsbruder. Wir sind so unterschiedlich! Aber wenn es wirklich darauf ankommt, dann hilft er mir und ich helfe ihm. Ich möchte später auch einmal eine Familie mit vielen Kindern haben, mindestens vier.

Paul, 17 Jahre

c Schreib einen Text über die Bedeutung von Familie.

– Gib die Berichte von den drei Schülern wieder.
– Wie ist die Situation in deinem Heimatland? Wie groß sind Familien? Wer gehört dazu?
– Gibt es Patchworkfamilien?
⊕ – Was ist für dich besonders wichtig, wenn du an Familie denkst?

Familien beschreiben

Zu meiner Familie gehören … Personen.

Ich habe zwei Geschwister, einen Bruder und eine Schwester.

Ich lebe bei meiner Mutter, meine Eltern sind getrennt.

Ich habe einen Bruder, einen Halbbruder und eine Halbschwester.

Begriffe definieren

Eine Patchworkfamilie ist eine Familie, in der Teile von verschiedenen Familien
  eine neue Familie bilden.

Ein Einzelkind ist ein Kind, das keine Geschwister hat.

Über Rollen in der Familie diskutieren

Hausmann sein hat den Vorteil, dass man morgens nicht zur Arbeit fahren muss.

Ich finde es wichtig, dass Männer und Frauen sich die Arbeit im Haushalt teilen.

Ich finde es gut, wenn Männer auch im Haushalt arbeiten.

Über eine Grafik zum Thema „Familie" sprechen

Vor hundert Jahren haben in der Hälfte der Haushalte fünf und mehr Personen gelebt.

Heute leben durchschnittlich zwei Personen in einem Haushalt.

In nur vier Prozent der Haushalte leben heute fünf und mehr Personen.

Außerdem kannst du …

… einen Text über Familienrollen in Deutschland verstehen.

Grammatik   kurz und bündig

Relativsätze mit Präpositionen

Ein Familienauto: **In dem Auto** hat die ganze Familie Platz.

Ein Familienauto ist ein **Auto, in dem** die ganze Familie Platz hat.

Ich interessiere mich **für den** Jungen.

Der **Junge, für den** ich mich interessiere, heißt Tarik.

Großfamilien: **In den** Familien gibt es viele Kinder.

Großfamilien sind Familien, **in den<u>en</u>** es viele Kinder gibt.

Bei Relativsätzen mit Präpositionen bestimmt die Präposition den Kasus des Relativpronomens.

Relativpronomen im Dativ

m.	dem
n.	dem
f.	der
Pl.	denen

Genitiv Plural

Heute leben in zehn Prozent **der** Haushalte vier Personen. (= von den Haushalten)

Aussprache trainieren

1 Lange und kurze Vokale

13 **a** Wortpaare. Hör zu und sprich nach.

a – ạ   Staat – Stadt

ä – ẹ   wählen – Wellen

e – ẹ   stehlen – stellen

ö – ọ̈   Höhle - Hölle

i – ị   Miete – Mitte

ü – ụ̈   fühlen – füllen

o – ọ   Ofen – offen

u – ụ   Mus – muss

> **Den Vokal spricht man lang:**
> – wenn ein h folgt, z. B. wählen.
> – ie
> – wenn der Vokal doppelt ist,
>   z. B. der Staat.
> – wenn ein ß folgt.
>
> **Den Vokal spricht man kurz:**
> – wenn ein Doppelkonsonant,
>   ck oder tz folgt.
> Beispiele: stellen, glücklich, jetzt.
>
> Bei anderen Wörtern muss man den
> Vokal mit dem Wort lernen.

14 **b** Hör zu. Markiere: lang __ oder kurz ·.

verantwortlich – beraten – die Universität – sich ändern – das Gesetz – das Problem – hören – können – das Ding –

c Hör noch einmal und sprich nach.

sich engagieren – berühmt – sich kümmern – das Vorbild – wollen – der Beruf – der Kunde

15 **d** Lies die Regeln in 1a. Markiere: lang __ oder kurz ·. Hör zur Kontrolle.

die Fee – sich interessieren – materiell – bedrohen – gefährlich – trotzdem – die Wissenschaftlerin – die Brücke – empfehlen – die Großfamilie

2 Fremdwörter mit nichtdeutscher Aussprache

16 Hör zu und sprich nach.

das Engagement – sich engagieren – der Ingenieur – die Ingenieurin – der Orangenbaum – die Band – das Skateboard – der Designer – die Designerin – die Patchworkfamilie – der Single

Wortschatz trainieren

3 Wortfelder

a Ordne die Wörter in drei Wortfelder. Es gibt mehrere Möglichkeiten. Schreib die Nomen mit Artikel.

Alleinerziehende/r – sich ändern – Arbeit – ~~Auszubildende/r~~ – bauen – Berufsberatung – ~~Doktor~~ – sich einmischen – ~~Einzelkind~~ – Elternzeit – sich engagieren für – erforschen – Forschung – Fragebogen – Generation – Gleichberechtigung – Haushalt – Hausmann – helfen – Institut – Jurist – kämpfen für/gegen – sich konzentrieren auf – kreativ – sich kümmern um – Lehre – lernen – Paar – pflegen – Praktikum – Präsentation – Rechtsanwalt – Schulabschluss – Schwäche – Stärke – Studium – untersuchen – Wissenschaft

Schule, Universität	Ausbildung, Arbeit	Familie
der Doktor	der/die Auszubildende	das Einzelkind

b Ergänze so viele weitere Wörter, wie dir einfallen. Es sollten mindestens zehn sein.

c Ergänze die Sätze mit Wörtern aus der Liste in 3a.

1. Nach der Schule will ich sofort mit meinem _____ an der Uni beginnen.
2. Salima will Wissenschaftlerin werden und das Universum _____.
3. Frauen müssen auch heute noch _____ ihre

   Rechte _____.
4. Bei der Berufsberatung kann man einen Test machen und seine _____

   und _____ herausfinden.
5. In Deutschland kann man nach dem _____ eine _____

   machen. Man arbeitet in einem Betrieb und geht zur Berufsschule.
6. Die _____ von Frau und Mann steht in Deutschland in den

   Gesetzen.

> **Grundgesetz, Artikel 3 (2)**
> Männer und Frauen sind gleichberechtigt. Der Staat fördert die tatsächliche Durchsetzung der Gleichberechtigung von Frauen und Männern und wirkt auf die Beseitigung bestehender Nachteile hin.

d Schreib einen Text zu einem von den drei Wortfeldern in 3a. Verwende mindestens drei Wörter aus deiner Liste.

Meine Tante ist Alleinerziehende. Sie geht jeden Tag zur Arbeit und muss sich um den Haushalt kümmern.

4 Wörter zu Wörtern

Finde zu den folgenden Wörtern mindestens ein weiteres. Arbeite mit dem Wörterbuch.
die Ausbildung – der Beruf – die Überraschung – die Familie – beraten – forschen –
sich engagieren – mutig – tolerant – kreativ

die Ausbildung: ausbilden, ausgebildet, der Ausbilder, der Ausbildungsplatz

5 Wörter in Wörtern

Wie viele Wörter findest du in diesen Komposita?

die Rollenverteilung	*die Rolle, die Verteilung*
der Lebenspartner	
die Kindererziehung	
die Berufsplanung	
die Hörgeräteakkustikerin	
das Musikinstrument	
das Arbeitsleben	
der Friedensnobelpreis	
die Weltmeisterschaftsmannschaft	
der Energieberater	

Strukturen trainieren

6 Wörter und Texte

Welche Wörter passen hier? Kreuze die richtige Lösung an: a , b oder c .

Von:	alexbärchen@dab.com ▼		Priorität:	normal ▼
An:	saskia.meyer@yadu.com	aus Adressbuch	CC / BCC	
Betreff:	Bamberg		HTML-Editor	
	☐ Empfänger per SMS benachrichtigen (?)		senden	

Liebe Saskia,

nun bin ich schon eine Woche in Bamberg und es gefällt mir super.
Meine Familie ist sehr nett zu mir. Sie kümmert sich sehr (1) mich und
es sind sehr interessante Leute. Der Vater engagiert sich (2) die
Umwelt und arbeitet bei einer Bürgerinitiative mit, (3) für weniger
Autoverkehr in der Stadt kämpft. Er ärgert sich (4) die Zeitung, (5) oft
gegen die Bürgerinitiative schreibt. Die Mutter ist Psychologin und
arbeitet mit Menschen, die sehr viel Angst haben. Das ist ein Beruf, (6)
ich mich auch interessiere, aber wahrscheinlich (7) ich das nicht.
Morgens kümmere ich mich (8) die jüngste Tochter. Sie ist drei und
heißt Nina. Sie freut sich jeden Morgen (9) den Kindergarten. Sie ist
ganz stolz, dass sie jetzt schon so groß ist.
Bamberg ist eine tolle Stadt (siehe Foto). Es gibt (10) viele kulturelle
Angebote (10) viel Natur. Und man kann alles mit dem Fahrrad
machen. Es gibt hier auch eine Uni, (11) ich gerne studieren würde.
In ein paar Wochen sind hier Schulferien, dann fährt die Familie (12)
an die Ostsee (12) an die Nordsee. Und ich darf mit. Ist das nicht toll?
Bis bald
Alexa

1.	a	um	b	auf	c	gegen
2.	a	mit	b	an	c	für
3.	a	die	b	das	c	den
4.	a	für	b	über	c	mit
5.	a	der	b	die	c	das
6.	a	mit dem	b	über das	c	für den
7.	a	könnte	b	konnte	c	kannst
8.	a	gegen	b	für	c	um
9.	a	auf	b	von	c	an
10.	a	sowohl … als auch	b	entweder … oder	c	weder … noch
11.	a	auf dem	b	an der	c	über der
12.	a	zwar … aber	b	entweder … oder	c	weder … noch

7 Vergangenheitsformen: Perfekt

a Notiere die Perfektformen zu diesen Verben.

ich passe auf	*ich habe aufgepasst*	ich betreue	*ich habe betreut*
er wählt aus	_____	sie berät	_____
wir mischen uns ein	_____	wir gehen weg	_____
ihr kontrolliert	_____	ihr diskutiert	_____
sie empfehlen	_____	sie fliegt	_____
er vereinbart	_____	wir erreichen	_____

b Schreib die Sätze im Perfekt.

1. Meine Mutter / fliegen / gestern / nach Sydney / .
2. Ich / einmischen / mich / in die Diskussion / im Deutschunterricht / .
3. Wir / auswählen / nicht / unsere Lehrer / .
4. Mein Freund / betreuen / letztes Schuljahr / zwei Kinder aus Ghana / .
5. Selma / empfehlen / mir / neue Musik / .
6. Mein Freundin / zurückgehen / nach Tunesien / letzte Woche / .
7. Sergio / zeigen / mir / sein neues Computerspiel / .
8. Tines Freundin / kommen / vor zwei Jahren / aus Nigeria nach Deutschland / .

1. Meine Mutter ist gestern nach Sydney geflogen.

8 Verben mit Akkusativ, mit Dativ oder mit zwei Ergänzungen

Schreib acht Sätze wie in den Beispielen. Es gibt viele Möglichkeiten.

ich	verkaufen
mein Bruder	kaufen
meine Schwester	schenken
unsere Eltern	empfehlen
mein Freund	leihen
meine Freundin	gefallen
unser Opa	gehören
unsere Oma	helfen

Ich verkaufe meinem Freund mein Tablet.
Meine Schwester kauft einen Motorroller.

9 Fragen trainieren

Schreib zu jeder Aussage drei Fragen. Frage nach dem roten, blauen und grünen Satzteil.

1. Moritz engagiert sich seit zwei Jahren für ausländische Kinder.

a) *Wer* _____ ?

b) *Seit wann* _____ ?

c) *Für wen* _____ ?

2. Bis vor 60 Jahren haben sich haben fast nur die Frauen um den Haushalt gekümmert.

a) _____

b) _____

c) _____

3. Viele Schüler freuen sich während der letzten Prüfungen auf die Zeit nach der Schule.

a) _____

b) _____

c) _____

4. Ron möchte in fünf Jahren einen Beruf haben, der interessant ist.

a) _____

b) _____

c) _____

1 Vorhersagen

a Lies die Anzeigen und suche für die Personen 1–3 je eine passende Anzeige A–D.

Dein Freund Ariam hat eine neue Freundin. Sie ist sehr sportlich. Leider ist er nicht so sportlich, möchte aber nicht, dass sie das merkt.

Deine Freundin Bilen hat schlechte Noten. Sie muss unbedingt die Prüfung schaffen.

Dein Schulweg ist sehr kompliziert, du musst mit dem Bus fahren und dreimal umsteigen. Das dauert fast eineinhalb Stunden.

Person 1 – Anzeige _____   Person 2 – Anzeige _____   Person 3 – Anzeige _____

A

Fehlerkorrektur leicht gemacht!

Nie mehr falsche Hausaufgaben!
Einfach den Text einscannen, Fehler werden automatisch korrigiert.
Auch im Miniformat erhältlich, passt in jede Hand.

www.FAUK-Fehlerautomatischkorrigieren.de

B

Ski mit Hinfallschutz

Ski korrigieren Fahrfehler selbstständig. Gebrochene Arme und Beine sind Vergangenheit.
Jetzt kann jeder jeden Winterspaß genießen.

Sonderangebot*: Ski, Stöcke und Schuhe **nur 599,– €**

*nur bis zum 11.11.

www.winterspaßfürjeden.de

C

Intelligenter Bücherschrank

Kein Suchen, kein Aufräumen – ein Knopfdruck, und die Schultasche ist gepackt.
Stundenplan kann gespeichert werden, der Schrankroboter sortiert und ordnet den gesamten Schrankinhalt und stellt zur eingestellten Uhrzeit die fertig gepackte Tasche vor den Schrank.

www.autobücherschrank.de nur **199,– €**

D

Auto für die ganze Familie

Per Satellit und Touch-Sensoren fährt das Auto unfallfrei zu jedem beliebigen Ziel.
Ideal für Jugendliche ohne Führerschein.
Günstige Preise. Besuchen Sie unsere Homepage.

www.autoohnefahrer.de

b Vorhersagen – Schreib die Sätze.

1. Ich glaube nicht, / zum Mars / die Menschen / fliegen / dass / werden / .

Ich glaube nicht, dass die Menschen fliegen zum Mars werden

2. In 20 Jahren / keine Grippe mehr / geben / wird / es / .

In 20 Jahren wird es keine Grippe mehr es geben

3. werden / wir / Schon in wenigen Jahren / fahren / nur noch mit Elektroautos / .

Schon in wenigen Jahren wir fahren nur noch mit Elektroautos werden

4. wirst / bestimmt / du / haben / viele Erfolge / Nach der Schule / .

Nach der Schule du wirst viele Erfolge bestimmt haben

5. Wenn er genug Geld hat, / aufmachen / eine eigene Firma / in ein paar Jahren / wird / er / .

Wenn er genug Geld hat, wird er eine eigene Firma in ein paar Jahren aufmachen

6. ihr / haben / bestimmt / viel Erfolg / werdet / Wenn ihr so weitermacht, / .

Wenn ihr so weitermacht, viel Erfolg haben bestimmt werdet

c Ergänze die richtige Form von *werden*.

1. „Wer _wirden_ Millionär?" Das ist eine sehr bekannte Fernsehsendung. Man muss viel

   wissen und Glück haben, dann kann man sehr reich _wird_ .

2. ● _wirdet_ ihr morgen wirklich surfen gehen? Das Wetter soll schlecht

   werden . Wenn es stürmt, dann _wird_ das Meer sehr gefährlich.

   ■ Wir gehen auf jeden Fall, wir _werden_ schon aufpassen, mach dir keine Sorgen.

3. ● Wann _wirdst_ du mir mein Spiel wiedergeben?

   ■ Morgen, ich verspreche dir, ich _werde_ es nicht wieder vergessen.

4. Sie hat es geschafft, sie ist Schauspielerin _werden_ .

   Sie _wird_ bestimmt noch ganz berühmt _werden_ .

d Lies die Beispiele A, B und C und entscheide dann bei Satz 1–5: Welches *werden* ist es: A, B oder C?

A *werden* + Adjektiv:	Er wird berühmt.
B *werden* + Nomen:	Er möchte Schlagzeuger in einer Band werden.
C *werden* + Infinitiv:	Morgen wird die Sonne scheinen.

1. Ab morgen Mittag wird sich das Wetter ändern ☐C☐ . Nach einigen Regenschauern wird die Sonne

   wieder herauskommen ☐ und der Tag wird sonnig und warm ☐ .

2. Mein Vater wollte Pilot werden ☐ , aber die Ausbildung war zu teuer, deshalb ist er Ingenieur geworden ☐ . Das war eine gute Entscheidung. Er ist als Erfinder sehr berühmt geworden ☐ .

3. Wenn der Klimawandel so weitergeht, dann werden die Alpen bald schneefrei sein ☐ und man

   wird nicht mehr Ski fahren können ☐ .

4. Meine kleine Schwester ist sehr schüchtern. Sie wird immer sofort rot ☐ , wenn man sie etwas

   fragt. Sie muss sich noch ändern, denn sie möchte ein Popstar werden ☐ .

5. ● Kannst du heute kommen?

   ■ Nein, das wird leider nicht möglich sein ☐ . Ich muss noch zu Hause viel machen, sonst wird

   meine Mutter sauer ☐ .

e Horoskopmaschine – Wähle ein Tierzeichen und schreib ein Horoskop für die nächste Woche.

Am Montag
Am Dienstag
Am Mittwoch
Am Donnerstag
Am Freitag
Am Wochenende

werden

Geld verdienen
      verlieren
ein Auto finden
Freunde kaufen
Noten bekommen
      verkaufen
ein Pferd …
eine Spinne

Am Donnerstag wirst du ein Pferd kaufen.

Widder: 21.3.–20.4.

Stier: 21.4.–20.5.

Zwillinge: 21.5.–21.6.

Krebs: 22.6.–22.7.

Löwe: 23.7.–23.8.

Jungfrau: 24.8.–23.9.

Waage: 24.9.–23.10. Skorpion: 24.10.–22.11. Schütze: 23.11.– 21.12. Steinbock: 22.12.– 20.1. Wassermann: 21.1.–19.2. Fische: 20.2.–20.3.

2 Alternativen

a Schreib die Sätze mit den Konjunktionen.

entweder … oder – weder … noch – sowohl … als auch.

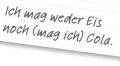

Ich mag weder Eis noch (mag ich) Cola.

1. Ich mag kein Eis. Ich mag keine Cola.
2. Wir haben nicht viel Geld. Wir gehen ins Kino. Wir gehen etwas trinken.
3. Fatima hat am Wochenende gut verdient. Sie geht shoppen. Sie geht essen.
4. Oliver hat kein Fahrrad. Oliver hat kein Moped.
5. Zelica hat viel Zeit. Sie wird nach der Schule arbeiten. Sie wird eine Reise machen.
6. Wir müssen uns entscheiden. Wir werden im Juli nach Rügen fahren.
   Wir werden an den Bodensee fahren.

b Schreib mit jeder Konjunktion einen Satz über dich.

3 Das Leben vor hundert Jahren

Hat es das vor 100 Jahren schon gegeben? Im Text sind 7 Informationen falsch. Markiere sie.

Titideldi, das Handy klingelt und weckt Wilhelm Stauch. Er wohnt in Berlin-Kreuzberg. Es ist halb sieben und er muss aufstehen. Beim Frühstück hört er die Nachrichten im Radio, dann packt er seine Schultasche und geht zur U-Bahn. Er fährt erst mit der U-Bahn, dann mit der Straßenbahn und dann muss er noch zehn Minuten zu Fuß gehen. Dabei hört er gern Musik mit seinen Ohrhörern. Oft hat er auch sein Skateboard dabei. Manchmal hat er Glück. Der Vater von seinem Freund hat ein Auto und mit dem Auto braucht man nur zehn Minuten.

Heute hat er sechs Stunden Unterricht, erst Deutsch, dann Informatik und danach Musik. Mittags kauft er sich einen Hamburger, Pommes frites und eine Cola und trägt alles in einer Plastiktüte nach Hause. Nachmittags geht er nach den Hausaufgaben mit seinen Freunden Basketball spielen und abends wollen sie ins Kino gehen oder bei einem Freund fernsehen. Er schickt seiner Mutter eine WhatsApp, dass er erst um 10 Uhr nach Hause kommt.

Das Handy ist falsch, denn vor 100 Jahren hat es noch keine Handys gegeben.

4 Leben in der Stadt heute

17   **a** Du hörst den Anfang einer Podiumsdiskussion. Welche Fotos passen dazu?

1

2

3

b Hör noch einmal. Kreuze bei den Aussagen 1–8 an: R richtig oder F falsch.

1. Der Moderator stellt zu Beginn alle Teilnehmer und Teilnehmerinnen vor.   R F
2. Frau Holle-Berg ist der Meinung, dass die Stadt die neue Brücke braucht.   R F
3. Herr Begin findet, dass die neue Brücke der Wirtschaft keine Vorteile bringt.   R F
4. Frau Baum ist der Meinung, dass durch die Brücke der Verkehr noch schlimmer wird.   R F
5. Frau Throm sieht durch die Brücke einige Vorteile für das kulturelle Leben in der Stadt.   R F
6. Frau Holle-Berg meint, dass man Wirtschaft und Umwelt zusammenbringen kann.   R F
7. Frau Throm sagt, dass man bei großen Projekten die Kosten sehr gut kontrollieren kann.   R F
8. Der Moderator möchte über das Thema „Brücke" gerne noch länger diskutieren.   R F

Sagen, was man in der Zukunft tun wird / Alternativen nennen

In einem Monat fahre ich entweder in Urlaub oder ich gehe arbeiten.

Ari wird weder in Urlaub fahren noch arbeiten gehen.

Meine Freunde werden sowohl arbeiten gehen als auch in Urlaub fahren.

Über die Stadt der Zukunft sprechen

In 10 Jahren werden Autos automatisch fahren.

Was meinst du, wie wird unsere Stadt in hundert Jahren aussehen?

Ich glaube, unsere Stadt wird in hundert Jahren ganz anders aussehen.

Es wird wahrscheinlich keine Autos mehr geben.

Die Menschen werden nur noch virtuell kommunizieren.

Keiner weiß, wie die Häuser aussehen werden.

Außerdem kannst du …

… einen Text über Stadtentwicklung verstehen.

… ein Brainstorming machen.

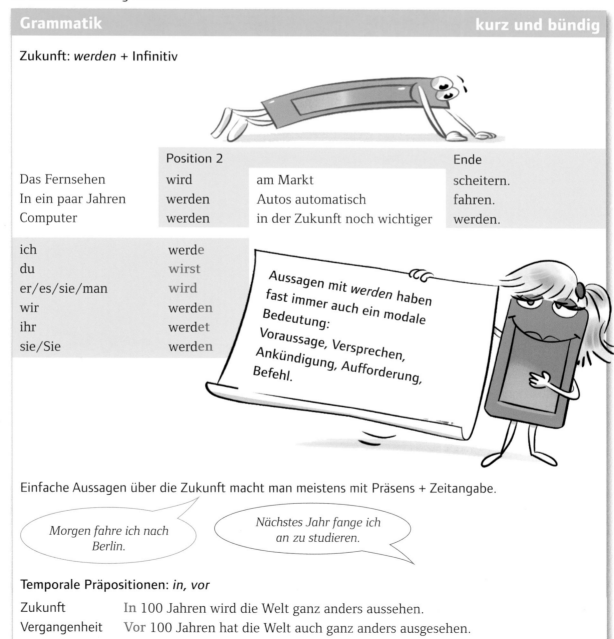

Grammatik — kurz und bündig

Zukunft: *werden* + Infinitiv

	Position 2		Ende
Das Fernsehen	wird	am Markt	scheitern.
In ein paar Jahren	werden	Autos automatisch	fahren.
Computer	werden	in der Zukunft noch wichtiger	werden.

ich	werde
du	wirst
er/es/sie/man	wird
wir	werden
ihr	werdet
sie/Sie	werden

Aussagen mit *werden* haben fast immer auch ein modale Bedeutung: Voraussage, Versprechen, Ankündigung, Aufforderung, Befehl.

Einfache Aussagen über die Zukunft macht man meistens mit Präsens + Zeitangabe.

Morgen fahre ich nach Berlin.

Nächstes Jahr fange ich an zu studieren.

Temporale Präpositionen: *in, vor*

Zukunft	**In** 100 Jahren wird die Welt ganz anders aussehen.
Vergangenheit	**Vor** 100 Jahren hat die Welt auch ganz anders ausgesehen.

1 Lieblingsorte

a Was ist was? Schreib die Wörter.

das Dachgeschoss

b Überlege: Welche Möbel gehören in welchen Raum?

Wohnzimmer: das Sofa, ...

2 Das ist der Ort, wo ich allein sein kann.

a Ergänze den Text.

Max: Ich mag gerne, wenn alles schön ordentlich ist. Dann fühle i_ _ mich wohl. Desh_ _ _ mag ich

me_ _ Zimmer am lieb_ _ _ _, da kann i_ _ alles so mac_ _ _, wie ich will, und kei_ _ _ bringt mir

al_ _ _ durcheinander. Mein Lieblin_ _ _ _ _ ist mein Schrei_ _ _ _ _ _. Hier habe ich all_ _, was ich

brau_ _ _. Hier kann i_ _ spielen, Musik hör_ _, Filme sehen, i_ Internet surfen u_ _ natürlich auch

f_ _ die Schule arbe_ _ _ _. Auch wenn me_ _ Freund kommt, sit_ _ _ wir meistens a_ meinem

Schreibtisch, w_ wir alles hab_ _, was wir brau_ _ _ _. Wenn ich nic_ _ gerade in d_ _ Schule bin,

da_ _ bin ich meis_ _ _ _ in meinem Zim_ _ _. Ich liebe die_ _ _ Platz, wo mi_ _ keiner stören da_ _.

b Ergänze *wo, was* oder *wie*.

1. Ich wohne in einem kleinen Ort, _____ es leider wenig Freizeitmöglichkeiten gibt.

2. In meiner Stadt gibt es alles, _____ ich brauche. Ich möchte nicht in eine andere Stadt
   umziehen.

3. Hast du schon einmal in einem Land gelebt, _____ es einen Monat lang nicht dunkel wird?

4. Ich darf mein Zimmer so einrichten, _____ es mir gefällt. Meine Eltern erlauben das.

c Arbeite mit dem Wörterbuch. Ergänze die Pronomen. Wozu passt das Bild?

was – was – wie – wo

1. _____ man nicht im Kopf hat, muss man in den Beinen haben.

2. _____ ein Wille ist, da ist auch ein Weg.

3. _____ du heute kannst besorgen, das verschiebe nicht auf morgen.

4. _____ du mir, so ich dir.

Das Bild passt zu Satz _____ .

3 Zimmer aufräumen

a Ergänze die Satzanfänge 1–10 mit passenden Elementen rechts. Es gibt mehrere Möglichkeiten.

1. Er hat keine Zeit, …
2. Es ist unnötig, …
3. Es ist sinnvoll, …
4. Sie hasst es, …
5. Es tut mir gut, …
6. Es macht mir Spaß, …
7. Ich nehme mir Zeit, …
8. Es ist wichtig, …
9. Er liebt es, …
10. Wir finden es toll, …

heute Abend ins Kino gehen

zur Schule gehen

alle Kleider anprobieren   einen guten Beruf finden

auf kleine Kinder aufpassen

ein leckeres Essen kochen

Karriere machen   im Internet surfen

Fußball spielen

shoppen gehen   essen gehen

sich schminken   eine Weltreise machen

in den Club gehen

> 1. Er hat keine Zeit, heute Abend ins Kino zu gehen.

> Ich nehme mir Zeit, mich zu schminken.

b Wiederholung: Modalverben mit Infinitiv (ohne *zu*). Ergänze die Satzanfänge 1–7 mit passenden Elementen aus 3a.

1. Er will …
2. Sie müssen …
3. Wir können …
4. Sie darf …
5. Wollt ihr … ?
6. Darf sie … ?
7. Könnt ihr … ?

> 1. Er will eine Weltreise machen.

c Wähle je vier Satzanfänge aus 3a und schreib Sätze über dich.

Es tut mir gut …   und ich möchte gerne …

4 Meinungen – Mein Zimmer

18 **a** Marco ruft bei einer Sendung im Schülerradio an und berichtet über sein Zimmer und das Zusammenleben mit seinem Austauschschüler. Lies zuerst die Aufgaben und höre dann die Reportage. Löse die Aufgaben beim Hören. Kreuze bei jeder Aufgabe die richtige Lösung a , b oder c an.

1. Marco hat
   - a einen kleinen Bruder.
   - b einen großen Bruder.
   - c mehrere Brüder.

2. Marco hat ein Zimmer
   - a mit seinem Bruder.
   - b mit einem Freund.
   - c für sich allein.

3. Seine Eltern
   - a wollen, dass er sein Zimmer aufräumt.
   - b erlauben, dass sein Zimmer unordentlich ist.
   - c räumen sein Zimmer auf.

4. Marcos Austauschbruder Eric
   - a schläft bei seinem Bruder.
   - b schläft in Marcos Zimmer.
   - c schläft im Gästezimmer.

5. Marco findet Eric
   - a nicht so nett.
   - b sehr unordentlich.
   - c zu ordentlich.

6. Marco denkt, dass Eric
   - a immer streiten möchte.
   - b ihm helfen möchte.
   - c ihn zu viel kritisiert.

b Hör die Reportage noch einmal und kontrolliere oder ergänze deine Lösungen.

c Was würdest du machen? Schreib deine Meinung.

5 Wohnungen

a Du findest unten einen kurzen Lesetext.
Der Text hat vier Lücken (Aufgaben 1–4).
Setze aus der Wortliste (A–H) das richtige Wort in
jede Lücke ein. Einige Wörter bleiben übrig.

Z   gerne
A   langweilig
B   toll
C   Turm
D   Keller
E   viel
F   ganz
G   müsste
H   möchte

Meine Traumwohnung

Die Lage von meiner Traumwohnung ist ganz wichtig für mich. Ich würde (0) _Z_ in der Nähe von

den Bergen wohnen und gleichzeitig aber auch in einer großen Stadt. Das Haus, in dem meine

Traumwohnung liegt, dürfte nicht (1) _____ sein. Ich würde zum Beispiel gerne in einem

hohen (2) _____ wohnen. Dann hätte ich von meiner Wohnung einen tollen Blick über die

Stadt bis zu den Bergen.

Am liebsten hätte ich auch einen See (3) _____ in der Nähe, weil ich gerne schwimme

und surfe. Mein Zimmer in der Traumwohnung (4) _____ mindestens 40 Quadrat-

meter haben. Wenn es in einem Turm wäre, dann wäre mein Zimmer auf drei Stockwerken.

Natürlich hätte ich auch einen Balkon mit vielen Blumen. Ich bin auch sehr umweltbewusst,

deshalb würde ich auf dem Dach eine Photovoltaikanlage bauen.

---

b Lies die Situationen 1 bis 4 und die Anzeigen A bis D aus verschiedenen deutschsprachigen
Medien. Wähle: Welche Anzeige passt zu welcher Situation? Du kannst jede Anzeige nur einmal
verwenden. Für eine Situation gibt es keine passende Anzeige. In diesem Fall schreibe 0.

Diese Leute suchen eine neue Wohnung:

1. Frau Schneider möchte mit ihren Kindern
Sascha und Karl eine große, billige Wohnung
oder ein Haus mieten. Sie haben einen Hund
und zwei Kanarienvögel. ☐

2. Herr und Frau Mey möchten gerne eine Wohnung im Zentrum mieten. Sie haben kein Auto
und brauchen öffentliche Verkehrsmittel in
der Nähe. Sie brauchen viel Platz, mindestens
4 Zimmer. ☐

3. Familie Hausmann hat von ihrem Onkel viel
Geld bekommen und möchte ein Haus kaufen.
Sie liebt die Natur. ☐

4. Herr und Frau Antos wohnen jetzt in einem
Haus. Die vielen Treppen sind unbequem für
sie, weil sie schon etwas älter sind. Sie suchen
eine kleine Wohnung. ☐

A   2 ½-Zimmer-Wohnung, im 3. Stock mit
Aufzug, großer Südbalkon, ruhige Lage.
490 Euro Monatsmiete

B   EXKLUSIVE TRAUMVILLA
400 m zum Badestrand am See, 200 qm Wohn-
fläche, 2 Balkons, Terrasse und großer Garten
– v. privat 850 000 Euro

C   120 qm, 4-Zi.-Wohnung im EG, Terrasse
und kleiner Garten, zentrale Lage in der Innenstadt, S-Bahn und U-Bahn 200 m. Keine Haus-
tiere. Miete 1250 Euro

D   46 qm, 2 Zimmer, Küche, Bad, im DG.
Wunderschöner Blick über den Park.
450 Euro Monatsmiete

Abkürzungen in den Anzeigen:

+   m = Meter – qm = Quadratmeter – Zi = Zimmer – EG = Erdgeschoss – DG = Dachgeschoss

Den eigenen Lieblingsort beschreiben

Am liebsten bin ich in meinem Zimmer.

Mein Lieblingsort ist unser Keller. Da kann ich am besten Musik machen.

Das ist der Ort, wo ich träumen kann.

In meinem Zimmer kann ich machen, was ich will. Das gefällt mir.

Wichtig ist für mich, dass keiner mich stören kann.

Einen Leserbrief zum Thema „Aufräumen" schreiben

Ich finde es wichtig, dass mein Zimmer in Ordnung ist.

Ich habe meistens keine Lust aufzuräumen. Aufräumen finde ich langweilig.

  Manchmal mache ich gerne Ordnung.

Ich mache die Tür zu, mache die Musik laut und fange an aufzuräumen.

Ich räume gerne auf. Wenn ich aufgeräumt habe, dann fühle ich mich wohl.

Ordnung ist total wichtig für mich.

  Ich ärgere mich, wenn mein kleiner Bruder etwas durcheinanderbringt.

Außerdem kannst du …

… Sprichwörter zum Thema „Ordnung" verstehen.

Grammatik	**kurz und bündig**

Relativpronomen *wo, was, wie,* …

Das ist der Ort, wo ich allein sein kann.

Die anderen können machen, was sie wollen.

Ich mache (das), was ich will.

Ich stelle mir vor, wie ich später einen tollen Mann habe.

Ich will in einem Land wohnen, wo man frei leben kann.

Ich will in einem Land wohnen, wo das Wetter immer gut ist.

Infinitivsätze mit *zu*

Es ist wichtig, regelmäßig Ordnung zu machen.

Ich habe (keine) Lust, mein Zimmer aufzuräumen.

Er hat mir versprochen, mit mir ins Kino zu gehen.

Wichtige Ausdrücke, nach denen der Infinitiv mit *zu* steht:

Nach einem Nomen + Verb	Nach einem Verb	Nach *sein* + Adjektiv
Ich habe (keine) Lust, …	anfangen	Es ist
Ich habe (keine) Zeit, …	aufhören	… wichtig, …
Es macht mir Spaß, …	bitten	… sinnvoll, …
Es macht mir Angst, …	empfehlen	… notwendig, …
…	erlauben	… schlecht, …
	raten	… gut, …
	verbieten	… richtig, …
	vergessen	… falsch , …
	versprechen	… langweilig, …
	vorhaben	… interessant, …
	…	…

1 Gutes Essen

a Wiederholung: Wortschatz „Essen" –
Wie viele Wörter fallen dir zu diesem Bild ein?
Vergleicht in der Klasse.

die Flasche, trinken

b Schreib einen kurzen Text: Das esse und trinke
ich an einem normalen Schultag.

2 Im Bistro

a Was sagen die Gäste? Ergänze die Dialoge.

a) Stimmt so.
b) Wir haben nicht viel Hunger. Was können Sie empfehlen?
c) Nein, haben Sie noch einen Tisch für uns?
d) Wir möchten bitte zahlen.
e) Zusammen, bitte.
f) Wir hätten gern eine Cola und ein Mineralwasser.
g) Wir würden lieber auf der Terrasse sitzen.
h) Bringen Sie uns bitte die Speisekarte.
i) Dann nehme ich den Salat.

Dialog 1
- ● Haben Sie reserviert?
- C ■ *Nein, haben Sie noch einen Tisch für uns*
- ● Hier in der Mitte – der Tisch am Fenster ist noch frei.
- g ■ *Wir würden lieber auf der Terrasse sitzen*
- ● Auch kein Problem. Kommen Sie bitte mit.

Dialog 2
- h ■ *Bringen Sie uns bitte die Speisekarte*
- ● Ja, ich bringe sie Ihnen sofort. Möchten Sie schon etwas zu trinken bestellen?
- f ■ *Wir hätten gern eine Cola und ein Mineralwasser*

Dialog 3
- ● Was darf ich Ihnen bringen?
- b ■ *Wir haben nicht viel Hunger. Was können Sie empfehlen*
- ● Eine frische Gemüsesuppe oder einen Cäsar-Salat?
- i ■ *Dann nehme ich den Salat*
- ● Und für Sie?
- ▶ Ich nehme den Vorspeisenteller.

Dialog 4
- ● *Wir möchten bitte zahlen*
- ■ Zusammen oder getrennt?
- e ● *Zusammen bitte*
- ■ Das macht 23 Euro 50.
- a ● 25 €. *Stimmt so*

19–20 **b** Du hörst jetzt Dialog 1 und 3. Du hörst nur die Kellnerin ●. Sprich die Rolle vom Gast ■.

3 Stress im Bistro

21–22 **a** Hör die Gespräche. Warum ist der Gast unzufrieden?

Dialog 1

1. Die Gäste bestellen. | richtig | | falsch |

2. a) Sie warten seit 30 Minuten auf das Essen.
   b) Sie haben noch keine Getränke bekommen.

Dialog 2

1. Die Gäste wollen zahlen. | richtig | | falsch |

2. a) Der Salat war sehr salzig.
   b) Der Salat war nicht ganz frisch.

b Lies den Kommentar im Gästebuch. Im Text sind 10 Fehler: 5-mal Groß- und Kleinschreibung und 5 Verben stehen falsch. Korrigiere den Text.

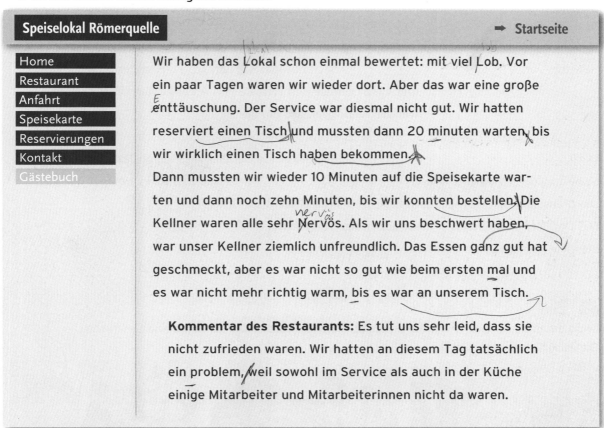

Speiselokal Römerquelle ➡ **Startseite**

Home
Restaurant
Anfahrt
Speisekarte
Reservierungen
Kontakt
Gästebuch

Wir haben das Lokal schon einmal bewertet: mit viel Lob. Vor ein paar Tagen waren wir wieder dort. Aber das war eine große enttäuschung. Der Service war diesmal nicht gut. Wir hatten reserviert einen Tisch und mussten dann 20 minuten warten, bis wir wirklich einen Tisch haben bekommen.

Dann mussten wir wieder 10 Minuten auf die Speisekarte warten und dann noch zehn Minuten, bis wir konnten bestellen. Die Kellner waren alle sehr Nervös. Als wir uns beschwert haben, war unser Kellner ziemlich unfreundlich. Das Essen ganz gut hat geschmeckt, aber es war nicht so gut wie beim ersten mal und es war nicht mehr richtig warm, bis es war an unserem Tisch.

Kommentar des Restaurants: Es tut uns sehr leid, dass sie nicht zufrieden waren. Wir hatten an diesem Tag tatsächlich ein problem, weil sowohl im Service als auch in der Küche einige Mitarbeiter und Mitarbeiterinnen nicht da waren.

23 **c** Du hörst ein Gespräch zwischen einem brasilianischen Schüler und einer deutschen Schülerin über Erfahrungen mit dem Essen. Wähle: Sind die Aussagen Ⓡ richtig oder Ⓕ falsch?

1. Siri isst am liebsten Reis und Bohnen. Ⓡ Ⓕ

2. Gabriel findet, dass man in Deutschland zu viel Kartoffeln isst. Ⓡ Ⓕ

3. Siri mag kein Obst. Ⓡ Ⓕ

4. Bei Gabriel zu Hause gibt es zum Frühstück immer Obst. Ⓡ Ⓕ

5. Gabriel isst gerne Wurst und vor allem Bratwürstchen. Ⓡ Ⓕ

6. Siri findet es toll, dass es viele Restaurants gibt, wo man nach Gewicht bezahlt. Ⓡ Ⓕ

➕ 7. Gabriel isst abends lieber warmes Essen. Ⓡ Ⓕ

4 Eine kurze Geschichte des Essens

Lies die Textzusammenfassung und ergänze die fehlenden Wörter.

anstrengen - ~~Asien~~ - ~~Entdeckung~~ - ~~erfinden~~ - Essgewohnheiten – falsche – Hunger – ~~Kartoffeln~~ –
~~kochen~~ – ~~Kontinente~~ – reichen – ~~Reis~~ – ~~sammeln~~ – Unterschied – ~~Welt~~ – ~~züchten~~

Der Text beschreibt die Entwicklung der _Essgewohnheiten_ der Menschheit über die letzten

Jahrtausende hinweg. Die ersten Menschen _sammeln_ und jagen ihre Nahrungs-

mittel in der Natur und essen sie ungekocht. Erst nach der _Entdeckung_ des Feuers

kann man auch _kochen_ . Die Menschen beginnen, Pflanzen und Tiere

zu _züchten_ . Sie lernen das Brotbacken und _erfinden_ die Nudel.

Händler verbinden schon seit über 2000 Jahren die _Kontinente_ und bringen

Gewürze von _Asien_ nach Europa. Ab dem 15. Jahrhundert kommen die

Kartoffeln und viele Gemüse und Früchte von Amerika nach Europa und der

Reis wandert von Asien aus um die _Welt_ .

Der _Unterschied_ in der Ernährung zwischen armen und reichen Menschen ist groß.

Der _____ ist bis heute eine große Gefahr. Seit einigen Jahrzehnten wird die

Sicherung der Ernährung in den _____ Ländern immer weniger wichtig.

Die Menschen in diesen Ländern müssen sich nicht mehr für ihr Essen _____ .

Das Problem ist heute nicht mehr der Hunger, sondern die _____ Ernährung,

die viele Menschen krank macht.

5 Eine Geschichte erzählen

**Bring die Bilder in eine Reihenfolge, die du sinnvoll findest, und schreib deine Geschichte.
Die Ausdrücke unten helfen.**

~~der Klassenausflug~~ – ~~nach … fahren~~ – ~~die Lunchpakete~~ – die Kiste – der Hund –
Picknick machen – ~~das Bauchweh~~ – Wir haben … – ~~Wir sind …~~ – ~~Als wir angekommen sind~~ … –
die Tür offen lassen – spielen – schwimmen – hungrig – enttäuscht – in den Bus steigen –
aus dem Bus herauskommen – der Dieb – stehlen – sich verstecken

Essen bestellen

Ich möchte bitte bestellen.
Ich hätte gern einen Hamburger.
Ich nehme eine Cola.
Wir möchten bitte zahlen.

Zusammen oder getrennt?
Die Rechnung bitte.
Zahlen, bitte.
Stimmt so.

Sich beschweren

Ich habe ein Thunfischbaguette bestellt, aber das ist ein Baguette mit Schinken.
Entschuldigung! Der Salat ist nicht frisch.
Das ist zu kalt / zu salzig / zu scharf.

Einen Restaurantbesuch kommentieren

Der Service war schlecht/gut/hervorragend.
Das Essen hat uns gut / nicht gut geschmeckt.
Die Vorspeise war sehr lecker.
Das Hauptgericht war kalt / sehr gut / langweilig.
Die Preise waren o.k. / in Ordnung / viel zu hoch.

Außerdem kannst du ...

... eine Speisekarte verstehen.
... einen Text zum Thema „Geschichte des Essens" verstehen.

Grammatik   kurz und bündig

Präteritum

Das Präteritum findet man meistens in schriftlichen Texten: in Berichten, Erzählungen usw.
Einige Verben findet man auch in der gesprochenen Sprache häufig:

– sein, haben, Modalverben
– ich dachte, ich wusste, ich fand ... gut, ich kam, es ging, es gab ...

	regelmäßig	Endung regelmäßig – aber andere Form	unregelmäßig
ich	kochte	dachte	kam
du	kochtest	dachtest	kamst
er/es/sie/man	kochte	dachte	kam
wir	kochten	dachten	kamen
ihr	kochtet	dachtet	kamt
sie/Sie	kochten	dachten	kamen
	So funktionieren die meisten Verben.	brachte, kannte, wusste ...	Diese Formen musst du auswendig lernen.

gehen, ging, gegangen
hängen, hing, gehangen
finden, fand, gefunden
trinken, trank, getrunken

Rhythmus hilft beim Lernen!

Die Liste mit den unregelmäßigen Verben steht im Schülerbuch auf den Seiten 135-136.

1 Im Wartezimmer

a Wiederholung: Körperteile – Schreib die passenden Wörter zu 1-14.

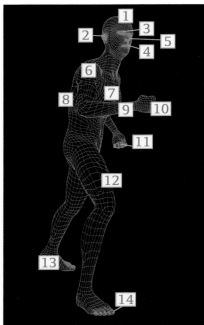

1. *der Kopf, die Köpfe* _____
2. _____
3. _____
4. _____
5. _____
6. _____
7. _____
8. _____
9. _____
10. _____
11. _____
12. _____
13. _____
14. _____

b Was passt zusammen?

1. Ich habe mir den Fuß verletzt.
2. Mir ist schlecht!
3. Du hast aber Schnupfen!
4. Ich bin mit dem Fahrrad gestürzt.
5. Ich friere.
6. Warum blutest du?
7. Ich habe sonntags immer Kopfweh.

a) Hast du dir den Arm gebrochen?
b) Ja, hast du ein Taschentuch für mich?
c) Weil ich mich in den Finger geschnitten habe.
d) Dann darfst du nicht so viel laufen.
e) Vielleicht sitzt du samstags zu lange am Computer?
f) Klar, weil du Fieber hast.
g) Hast du auch Bauchschmerzen?

2 Guter Rat ist teuer.

Schreib je drei Ratschläge. Vergleicht in der Klasse.

1. Silke: Mensch! Ich bin so müde!
   Ich habe heute den ganzen Tag an unserem Projekt gearbeitet.
   Ich kann nicht mehr stehen. Meine Füße tun mir so weh!

2. Boris: Christian und ich, wir möchten gern eine Radtour an der Ostsee machen,
   aber unsere Eltern erlauben es uns nicht.

Du solltest ...

3 Mein Freund kann kein Deutsch.

a Wie stellt der Arzt die Fragen in deiner Muttersprache?

1. Was fehlt Ihnen? _____
2. Haben Sie Fieber? _____
3. Haben Sie Allergien? _____
4. Nehmen Sie Medikamente? _____
5. Wie lange haben Sie die Schmerzen schon? _____
6. Haben Sie Appetit? _____

24 **b** Hör zu und kreuze die richtigen Antworten an.

1. Wann war Yuhani bei Dr. Meyer?
   - a ☐ Vor zehn Tagen.
   - b ☐ Letzte Woche.
   - c ☐ Am Dienstag.

2. Yuhani will einen Termin, weil
   - a ☐ Topi wieder krank ist.
   - b ☐ er selbst krank ist.
   - c ☐ Topi zur Kontrolle kommen muss.

3. Der nächste freie Termin ist
   - a ☐ heute um 10 Uhr.
   - b ☐ nächste Woche.
   - c ☐ nächsten Monat.

4. Topi kann erst ab 12 Uhr kommen, denn
   - a ☐ Topi ist nicht da.
   - b ☐ er arbeitet.
   - c ☐ er hat Deutschkurs.

5. Er bekommt um 12 Uhr keinen Termin, weil
   - a ☐ der Arzt nicht da ist.
   - b ☐ es keinen Termin gibt.
   - c ☐ die Praxis mittags zu ist.

6. Topi bekommt einen Termin
   - a ☐ am Dienstagnachmittag.
   - b ☐ am Montag um 15 Uhr.
   - c ☐ in der Mittagspause.

4 Wozu macht man das?

Tipps für deine Gesundheit: Schreib Sätze mit *damit* wie im Beispiel.

1. täglich eine Stunde Fahrrad fahren / fit bleiben

   Fahr täglich eine Stunde Fahrrad, damit du fit bleibst.

2. mit einer Grippe zu Hause bleiben / deine Freunde nicht krank werden

3. viel Obst essen / keine Erkältung bekommen

4. abends Milch trinken / gut schlafen können

5. am Wochenende wandern gehen / sich richtig entspannen können

6. mit den Freunden etwas machen / Spaß haben

5 Gespräche beim Arzt spielen

a Welche Äußerungen a–f passen in die Dialoge 1–3. Ordne zu.

a) Wie oft muss ich das Medikament nehmen?
b) Wo haben Sie Schmerzen?
c) Hier oben am Bein habe ich starke Schmerzen.
d) Sie müssen viel trinken.
e) Kann ich Sport machen?
f) Ich habe Halsweh und mir ist schlecht, ich kann nichts essen.

1. ● Wo tut es weh?
   ■ ☐

2. ● Was fehlt Ihnen?
   ■ ☐
   ● Ich muss Sie untersuchen. Sagen Sie AAAAAA.

3. ● ☐
   ■ Dreimal am Tag nach dem Essen.

b Schreib Minidialoge mit den Äußerungen, die von a–f übrig geblieben sind. Vergleicht in der Klasse.

6 Medikamente

Lies den Text und kreuze an: R richtig oder F falsch.

Placebos – Medikamente ohne Medizin

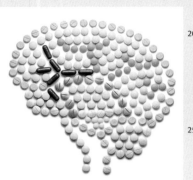

Nasentropfen, Schmerztabletten oder Medikamente gegen Erkältung oder Grippe kennen fast alle. Wir alle haben schon einmal Medikamente eingenommen. Es gibt aber eine ganz besondere Sorte von „Medikamenten": die Placebos. Das Wort kommt aus dem Latein und bedeutet „Ich werde gefallen". Placebos sehen aus wie Medikamente, es sind z. B. kleine, rosa Pillen, aber es sind keine, denn in diesen Tabletten ist nichts. Sie enthalten keine Medizin, sondern nur Zucker, Mehl oder irgendetwas anderes. Warum können Placebos trotzdem „Medikamente" sein? Wissenschaftler haben herausgefunden, dass Placebos manchmal genauso wirken können wie echte Medikamente. Allerdings nur dann, wenn der Patient nicht weiß, dass es ein Placebo ist.

Der Arzt gibt dem Patienten eine Tablette, und wenn der Patient denkt, dass es ein guter Arzt ist, wenn er ihm vertraut, dann wirkt die Placebo-Tablette, wenn man Glück hat, wie eine echte Tablette und der Patient wird gesund. Unglaublich? Wissenschaftler haben den Placebo-Effekt schon oft gefunden, aber sie können ihn bis heute noch nicht genau erklären. Sie vermuten, dass unser Gehirn eine wichtige Rolle spielt. Wenn wir überzeugt sind, dass etwas hilft, dann kann es sein, dass der Körper aktiv wird und auch ohne echtes Medikament von außen sozusagen sich selbst heilt.

1. Placebos sind ganz normale Medikamente.   R F
2. Zucker oder Mehl hat bei einigen Krankheiten gute Wirkungen.   R F
3. Wissenschaftler haben die Wirkung von Placebos untersucht.   R F
4. Bei einem Experiment erklärt der Arzt den Patienten, wie Placebos wirken.   R F
5. Wie Placebos wirken, weiß man noch nicht genau.   R F
6. Man muss an die Wirkung von Placebo-Medikamenten glauben, dann können sie helfen.   R F

7 Fit bleiben

Lies und ergänze den Text.

Das Thema „Fit bleiben" finde ich sehr wichtig. Nur wenn man fi_ ist, kann man mac_ _ _, was man gerne mac_ _ _ möchte. Einige von mei_ _ _ Mitschülern sind der Mein_ _ _, dass man viel Spo_ _ treiben soll, um fi_ zu bleiben. Im Gegen_ _ _ _ dazu meinen andere, da_ _ man beim Sport z_ viel Energie verbraucht, di_ man lieber für wicht_ _ _ _ _ Dinge verwenden sollte. Si_ meinen, dass man si_ _ beim Sport auch of_ verletzt, und wenn ma_ sich ein Bein gebro_ _ _ _ hat, dann ist ma_ überhaupt nicht mehr fi_, sondern muss zu Hau_ _ bleiben.

Ich stimme de_ zweiten Gruppe zu. Mei_ _ _ Meinung nach ist z_ viel Sport nicht ges_ _ _. Nicht nur weil ma_ sich verletzt, sondern au_ _, wenn man zu vi_ _ Energie beim Sport verbr_ _ _ _ _, hat man ein Prob_ _ _. Ich möchte dafür ei_ Beispiel nennen: Mein Bru_ _ _ spielt jedes Wochenende Fußb_ _ _. Er kommt immer tot_ _ kaputt von seinen Spie_ _ _ nach Hause. Dann lie_ _ er nur noch au_ dem Sofa, spielt Compute_ _ _ _ _ _ _ und isst Chips. E_ ist überhaupt nicht me_ _ fit und hat kei_ _ Lust, sich mit Freu_ _ _ _ zu treffen, tanzen z_ gehen oder in ei_ Konzert zu gehen.

Abschl_ _ _ _ _ _ möchte ich sagen, da_ _ man nicht nur au_ die körperliche Fitness un_ körperliche Aktivität achten so_ _. Das Training von unserem Gehirn ist für die Gesundheit mindestens genauso wichtig wie körperliches Fitnesstraining.

Gesundheitsprobleme beschreiben

Er hat sich verletzt, sein Finger blutet.

Sie hat sich erkältet. Sie hat einen starken Schnupfen und ihr Kopf tut weh.

Das Kind friert und ist ganz blass. Es hat Fieber.

Ein Gespräch mit dem Arzt führen

Was fehlt Ihnen?

Seit wann haben Sie Kopfschmerzen?

Haben Sie Fieber?

Ich schreibe Ihnen ein Rezept.

Nehmen Sie die Tabletten dreimal täglich vor dem Essen.

Legen Sie sich ins Bett, damit Sie schnell wieder gesund werden.

Ich fühle mich schlecht und habe keinen Appetit.

Beim Sprechen tut mir der Hals weh.

Ja, ich habe Fieber gemessen. Ich habe 39,2 Grad.

Wie oft muss ich das Medikament nehmen?

Kann/Soll ich in die Schule gehen?

Ratschläge formulieren

Vielleicht solltest du spazieren gehen.

Ich glaube, du solltest weniger arbeiten.

Wenn du Fieber hast, solltest du viel trinken.

Wenn du krank bist, solltest weniger sprechen.

Vielleicht solltest du weniger Ratschläge geben.

Die eigene Meinung schreiben

Khalid ist der Meinung, dass …

Im Gegensatz dazu meint …, dass …

Meiner Meinung nach …

Ich möchte dafür ein Beispiel anführen: …

Abschließend möchte ich sagen, dass …

Außerdem kannst du …

… dem Beipackzettel von Medikamenten Informationen entnehmen.

Grammatik

Ausdrücke mit Dativ

Es ist **ihr** kalt/heiß.	Ihr ist kalt/heiß.
Der Hals/Bauch/Kopf tut **ihm** weh.	Ihm tut der Hals/Bauch/Kopf weh.

Wozu? – damit

Hauptsatz	Nebensatz
Wozu soll ich jeden Tag trainieren?	
Du solltest jeden Tag trainieren,	**damit** du fit bleibst.
Wozu isst Susanne so viel Obst?	
Sie isst viel Obst,	**damit** sie gesund bleibt.

Sollen im Konjunktiv II

Bei Empfehlungen und Ratschlägen benutzen wir *sollen* im Konjunktiv II.

Du solltest mehr Sport machen.

Er sollte weniger Pommes essen.

ich	sollte
du	solltest
er/es/sie/man	sollte
wir	sollten
ihr	solltet
sie/Sie	sollten

Aussprache trainieren

1 Der Buchstabe *r*

25 **a** Hör zu und sprich nach.

1. krank – ausruhen – trainieren – Problem
2. das Fieber – erkältet – verletzt

3. der Termin – die Schmerzen

4. das Ohr – sie friert – mir ist kalt

1. Das r am Silbenanfang wird gesprochen.
2. Das r in der Endung -er und in den Vorsilben ver-, er- und zer- spricht man als schwaches [ə].
3. Nach kurzen Vokalen spricht man meistens ein schwaches [r].
4. Nach langen Vokalen spricht man kein r, sondern ein schwaches [a].

26 **b** Wo spricht man ein *r*? Markiere. Hör dann zur Kontrolle.

Der Termin ist sehr dringend, ich habe Ohrenschmerzen!

Nehmen Sie drei Tropfen viermal täglich. Dann wird es schnell besser werden.

2 Fremdwörter mit nichtdeutscher Aussprache

27 Hör zu und sprich nach.

recycelbar – die Webcam – interviewen – das Brainstorming – das Sandwich – der Service

das Baguette – die Vinaigrette – der Champignon – das Restaurant – die Garage

Wortschatz trainieren

3 Einrichtung, Möbel, Haushalt

a Hier sind Gegenstände aus einer Wohnung. Schreib die Wörter mit Artikel und Plural ins Heft.

der Papierkorb, die Papierkörbe

b Ergänze die Präpositionen.

an – auf – hinter – in – neben – vor – über – unter – zwischen

1. Der Vorhang hängt _____ der Decke.
2. Die Vase steht _____ dem Tisch.
3. Die Blumen stehen _____ der Vase.
4. Die Lampe hängt _____ dem Tisch.
5. Die Katze steht _____ dem Tisch.
6. Der Papierkorb steht _____ dem Tisch.
7. Der Spiegel hängt _____ den Bildern.
8. Lisa steht _____ dem Spiegel.
9. Die Maus ist _____ dem Papierkorb.

4 Essen und trinken

a Schreib Lebensmittel in die Tabelle. Vergleiche in der Klasse.

rot	grün	weiß/gelb	süß	flüssig
der Apfel	der Apfel	der Apfel	der Apfel	der Saft
		der Quark		

b Mach deine persönliche Liste.

Das esse ich gern:	Das esse ich nicht gern:
Pizza	Bananen

5 Ein Wort-Rezept

Wie heißt die Speise?

Nimm zuerst die erste Hälfte von **kalt**, dann ein Stück aus der Mitte von der **Torte** und danach ein großes Stück von **Hoffnung**. Jetzt gibst du ein halbes **Ei** dazu und die letzte Hälfte vom **Hals**. Nun noch **bald** ohne Anfang und Ende und das letzte Drittel von **Plakat**.
Das Ganze isst man gerne mit einer Bratwurst oder mit Schnitzel.

Das ist: ☐☐☐☐☐☐☐☐☐☐☐☐☐☐

6 Was passt nicht?

Markiere die Wörter, die nicht passen.

1. im Restaurant   essen – einkaufen – bestellen – bezahlen
2. bei dem Kellner   bestellen – betrachten – sich beschweren – bezahlen
3. im Supermarkt   einkaufen – suchen – bezahlen – herstellen
4. Medikamente   verschreiben – nehmen – träumen – kaufen
5. einen Termin   einladen – machen – finden – vergessen
6. gesund   bleiben – sein – werden – bekommen

7 Körperteile.

Ergänze die passenden Körperteile. Was braucht man zum …

Essen?   *die Hände, den Mund, die Zähne, den Magen, die Zunge*

Trinken? _____

Fahrradfahren? _____

Schreiben? _____

Gitarrespielen? _____

8 Schon – erst – noch

Ergänze die Sätze.

1. Gestern war ich noch krank, aber heute geht es mir _____ wieder besser.
2. Ich hatte heute _____ um 7 einen Termin beim Arzt, aber die Apotheke macht leider _____ um 9 Uhr auf.
3. Sie dürfen jetzt keinen Sport machen. _____, wenn sie ganz gesund sind.
4. ● Hast du _____ gegessen? ■ Nein, es ist doch _____ 12 Uhr.

Strukturen trainieren

9 Wörter und Texte

Welche Wörter passen hier? Kreuze die richtige Lösung an: a , b oder c .

Von:	leasommer@coweb.de	▼	Priorität:	normal ▼
An:	mirkoperez@entel.bo		aus Adressbuch	CC / BCC
Betreff:	Stress			HTML-Editor
	☐ Empfänger per SMS benachrichtigen (?)			senden

Lieber Mirko,

endlich habe ich ein bisschen Zeit, (1) zu schreiben. Es tut mir wirklich leid, (2) ich dir so lange nicht geantwortet habe. Es (3) einfach nicht, ich (4) so viel für die Schule lernen. Du weißt ja, dass wir Anfang März Prüfungen haben. Ich muss hart arbeiten, (5) meine Noten gut werden.

Meine große Schwester gibt mir jeden Tag gute Ratschläge: „Du (6) keine Filme sehen, du (6) früh schlafen gehen, du (6) …" Ich kann es nicht mehr hören! (7) tut schon der Kopf weh! Meine Eltern sind im Moment auch sehr streng. Ich möchte endlich mal wieder das machen, (8) ich will. Ich habe einfach keine Lust mehr, den ganzen Tag zu Hause am Schreibtisch (9) sitzen.

Meinst du, du könntest mal kommen? Vielleicht nur für ein Wochenende?

Erinnerst du dich noch an das kleine Eiscafé, (10) wir das leckere Schoko-Mango-Eis gegessen haben? Dort (11) auch so leckeren Kuchen.

Ich könnte versuchen, in der nächsten Woche ganz viel zu (12) und dann könnte ich das Wochenende freimachen. Wenn du kannst, dann frage ich mal meine Eltern, ob du zu uns kommen darfst. Das wäre super.

Antworte mir schnell!
Deine Yusra

---

1. a für   b zu   c dir
2. a damit   b warum   c dass
3. a ging   b passt   c geht
4. a könnte   b musste   c konnte
5. a weil   b für   c damit
6. a solltest   b darfst   c musst

7. a Ich   b Mir   c Mich
8. a wie   b was   c das
9. a zu   b –   c zum
10. a wo   b in das   c wie
11. a gab es   b essen   c aßen
12. a lerne   b lernen   c lernt

10 Woran, worauf … – mit wem, für wen …

Lies die Antworten und ergänze die Fragen.

1. ● _An wen_ denkst du?   ■ An meinen Freund.
2. ● _____ soll ich mich kümmern, wenn du weg bist?   ■ Um meine Pflanzen.
3. ● _____ engagiert sich eure Klasse?   ■ Für unseren Stadtpark.
4. ● _____ interessiert sich Moritz?   ■ Für Politik und Sport.
5. ● _____ beginnen wir das Konzert?   ■ Mit „99 Luftballons".
6. ● _____ telefonierst du die ganze Zeit?   ■ Mit meiner Mutter.
7. ● _____ ärgert sich dein Vater?   ■ Über unsere Nachbarn.
8. ● _____ nehmt ihr im Sommer teil?   ■ Am Tennisturnier.
9. ● _____ spielt heute Hertha BSC in Berlin?   ■ Gegen Real Madrid.
10. ● _____ freust du dich am meisten?   ■ Auf meinen Bruder.

11 Wiederholung: Reflexive Verben

Bring die Verben in eine sinnvolle Reihenfolge und schreib eine Liebesgeschichte.

sich versöhnen   sich kennenlernen   sich treffen   sich streiten

sich unterhalten   sich verabschieden   sich wiedersehen   sich verabreden

sich verlieben   sich küssen   sich entschuldigen

12 Adjektivendungen

Ergänze, wenn nötig, die Endungen.

Das ist mein Zimmer. Ich habe es gerade umgeräumt und finde es total gemütlich ⤫ so. Früher stand mein Bett links neben der Tür. Es war ein altmodisch*es*, schwer____ Bett, das ich von meinem groß____ Bruder bekommen hatte. Jetzt habe ich ein neu____, gelb____ Schlafsofa, ich habe es unter das klein____ Fenster gestellt, neben den groß____ Schrank. Am Bett habe ich natürlich eine Lampe, eine supermodern____ Stehlampe. Ich finde sie cool____. Mein Schreibtisch steht am groß____ Fenster. Auf der recht____ Seite steht mein Laptop und auf der link____ Seite stehen meine Schulbücher. Ich sitze gerne auf meinem bequem____ Stuhl und sehe aus dem Fenster in den grün____ Garten.

Früher hatte ich einen grau____ Teppich, jetzt habe ich einen neu____, weiß____. Meine Mutter hat zwar gesagt: „Ein weiß____ Teppich ist unpraktisch____." Das stimmt natürlich, aber er sieht toll____ aus, und ich versuche, vorsichtig____ zu sein.

13 Präpositionen mit Dativ oder Akkusativ
Ergänze die Artikel.

Reise durch Deutschland

Im letzten Sommer bin ich mit mein*em* Freund eine Woche durch Deutschland gefahren. Wir haben uns vor d____ Reise gut informiert und alles genau geplant. Erst sind wir an d____ Donau nach Regensburg gefahren. Dort sind wir mit d____ Fahrrad auf d____ Donauradweg bis nach Passau gefahren. A____ Ufer waren viele Burgen. Es war sehr romantisch. I____ Passau sind wir erst einmal zu____ Jugendherberge gegangen. Sie liegt sehr zentral auf ein____ Berg. Man hat einen tollen Blick über d____ Drei-Flüsse-Stadt. Von d____ Jugendherberge bis zu____ Zentrum ist es nicht weit. A____ ersten Abend sind wir in ein____ Disco gegangen. Da war richtig was los. A____ nächsten Tag waren wir in ein____ Museum und sind in d____ Dom gegangen. Zu____ Mittagessen sind wir in d____ Altstadt gegangen und haben dort in ein____ kleinen Restaurant eine Schweinshaxe gegessen, ein typisches bayerisches Gericht. A____ nächsten Tag sind wir mit d____ Zug weitergefahren, erst nach München, dann nach Hamburg und zum Schluss natürlich nach Berlin.

Die Donau bei Passau

1 Engagement macht stark.

a Finde im Wörterbuch mindestens ein weiteres Wort, das zu diesen Wörtern passt.

Adjektiv	Nomen	Verb/Ausdruck
	das Engagement	
hilfsbereit		
		stärken
~~		meinen
menschlich		~~~~~~
	das Verständnis	

b Ergänze die Sätze mit Wörtern aus 1a in der richtigen Form.

1. Für Intoleranz habe ich kein _____!

2. Mein Freund _____ sich sehr in unserer Bürgerintiative.

3. Sein _____ ist so groß, dass er dabei die Schule vergisst.

4. Ich muss ihm dann immer bei der Mathearbeit _____.

5. Ich kann ihn ja _____ verstehen, aber die Schule ist auch wichtig.

c Verbinde die Sätze mit *obwohl*.

1. Philipp Lahm hat wenig Zeit. / Er engagiert sich für Jugendliche.

   Obwohl Philipp Lahm wenig Zeit hat, _____

2. Bayern hat gut gespielt. / Sie haben das Spiel verloren.

   _____

3. Ich habe nur wenig Taschengeld. / Ich habe Geld für junge Flüchtlinge gespendet.

   _____

4. Anas steht nicht gerne früh auf. / Er hilft Kindern auf dem Schulweg.

   _____

5. Rafik spricht noch nicht perfekt deutsch. / Er sagt gerne seine Meinung.

   _____

d Ergänze *trotzdem* oder *obwohl*.

1. Viele Menschen sind nicht reich,   _trotzdem_ wollen sie anderen helfen.

2. Ich setze mich für das Projekt ein,   _____ ich dadurch weniger Freizeit habe.

3. Wir haben gebadet,   _____ das Wasser sehr kalt war.

4. Chips sind ungesund,   _____ esse ich sie gern beim Fernsehen.

5. Herr Schulze ist stark erkältet,   _____ geht er in den Unterricht.

6. Leo will sich ein neues Fahrrad kaufen,   _____ er kein Geld hat.

Ich will mich eigentlich mehr engagieren, trotzdem liege ich sehr oft in der Hängematte.

2 Kinderpatenschaft

a Lies den Werbetext. Welcher Titel passt zu welchem Abschnitt?

a) Direkt und persönlich: Ihr Kontakt zum Patenkind.

b) Sie entscheiden, wie lange Sie helfen wollen.

c) Welche Informationen bekommen Sie?

d) Wie helfen Sie mit einer Kinderpatenschaft?

1. ☐ Eine Kinderpatenschaft hilft einem Kind und seiner Familie. Mit nur einem Euro am Tag verbessern Sie das Leben eines Kindes, seiner Familie und der ganzen Region. Mit Ihrem Geld kaufen wir Medikamente, verbessern das Trinkwasser und kümmern uns um die Schule. Sie helfen uns mit nur einem Euro am Tag oder 30 Euro im Monat!

2. ☐ Gerne nennen wir Ihnen ein Kind, das Hilfe braucht. Wenn Sie dieses Kind unterstützen möchten, schicken wir Ihnen Informationen über das Kind und ein Foto von ihm. Sie bekommen per Post auch alle Informationen über das Projekt.

3. ☐ Als Pate können Sie am Leben Ihres Patenkindes direkt teilnehmen: durch persönlichen Briefkontakt. Oder Sie können das Kind einfach mal besuchen. Sie können sehen, wie es sich entwickelt. Außerdem bekommen Sie jedes Jahr einen Bericht über die Entwicklung Ihres Patenkindes.

4. ☐ Sie helfen, solange Sie wollen und können. Sie können Ihre Hilfe jederzeit beenden. Wir versuchen dann, einen neuen Paten für das Kind zu finden.

b Lies noch einmal und kreuze an: richtig oder falsch.

1. Die Kinderpatenschaft hilft Kindern und ihren Eltern. ☐R ☐F
2. Die Informationen über die Kinder findet man im Internet. ☐R ☐F
3. Man muss das Kind mindestens einmal besuchen. ☐R ☐F
4. Man entscheidet selbst, wie lange man dem Kind hilft. ☐R ☐F

3 Eine E-Mail beantworten

a Ergänze die Sätze.

dabei – darüber – dafür – darum – ~~daran~~

1. ● Wie gefällt dir das Projekt? ■ Gut, aber im Moment kann ich nicht _daran_ teilnehmen.

2. ● Was ist mit dir los? Hast du Probleme? ■ Ja, aber ich möchte nicht _____ sprechen.

3. ● Dein USB-Stick ist voll. ■ Ich weiß, aber ich kann mich jetzt nicht _____ kümmern.

4. ● Hast du „Pokémon Go"? ■ Zurzeit interessiere ich mich nicht _____. Ich habe Prüfung.

5. ● Wie findest du die Aktion? ■ Gut, aber ich kann nicht _____ mitmachen. Keine Zeit!

b Überlege: Person oder Sache? Ergänze die Sätze.

mit ihm – mit ihr – darum – ~~darauf~~ – davon

1. Die Ferien kommen bald. Wir freuen uns _darauf_.

2. Tobi hat heute Geburtstag. Hast du schon _____ telefoniert?

3. Er will am Samstag ein Fest machen, aber er kümmert sich nicht _____.

4. Wir müssen Sophia nach dem Termin fragen. Oder hast du schon _____ gesprochen?

5. Ich finde Kinderpatenschaften eine gute Idee. Was hältst du _____?

c Beantworte Helenas E-Mail. Schreib über die Punkte unten. Überlege dir zuerst die Reihenfolge.

Betreff:	Tierheim		HTML-Editor

☐ Empfänger per SMS benachrichtigen (?) senden

Liebe Freundinnen und Freude,
ihr wisst ja, dass ich seit zwei Jahren in einem Tierheim arbeite. Im Moment
haben wir viel zu tun und brauchen Hilfe. Möchtet ihr euch auch
engagieren? Ihr mögt doch sicher auch Tiere gern! Und die Leute, die hier
arbeiten, sind so nett. Die Arbeit würde euch sicher gefallen. Habt ihr Zeit
und Lust? Antwortet mir möglichst bald.
Viele Grüße
Helen

– Fordere Informationsmaterial über das Tierheim an.
– Erkläre, warum du mitmachen willst.
– Frage nach deiner Arbeit.
⊕ – Schreib, wann du arbeiten kannst.

4 Freiwilliges soziales Jahr

Lies den Text und die Aufgaben 1–5. Kreuze bei jeder Aufgabe die richtige Lösung an.

Freiwilligendienste im Ausland – neue Welten entdecken

**Internationale Jugendgemein-
schaftsdienste (ijgd)**

Seit 1996 engagieren sich die ijgd
für Freiwilligendienste im Ausland.
Jährlich vermitteln wir etwa 200 Jugendliche an unsere Partnerorgani-
sationen ins Ausland.

Ökologisches Lernen, Freiwilligenar-
beit, Selbstorganisation, interkultu-
relles Lernen – Vielfalt als Normali-
tät, soziales Lernen, Antirassismus/
Antidiskriminierung, Geschlechter-
gerechtigkeit und politische Bildung
sind die Grundsätze der politisch-
pädagogischen Arbeit der ijgd.

Du bist bereit, ...
• dich für andere zu engagieren?
• dich einer fremden Kultur zu
  öffnen?
• dich selbst und deine Grenzen
  besser kennenzulernen?

Dann könnte ein Freiwilligendienst
zwischen sechs und 24 Monaten im
Ausland genau das Richtige für dich
sein.

Wir bieten an ...
• das Programm „weltwärts".
• den Europäischen Freiwilligendienst (EVS),
• den Internationalen Jugendfrei-
  willigendienst (IJFD).

Weltwärts ist ein Freiwilligendienst
für junge Leute zwischen 18 und
28 Jahren. Er steht unter dem Motto
„Lernen durch aktives Helfen".
Du kannst in der Regel zwölf Monate
lang in den Bereichen Bildung, Gesundheit, Stärkung von Frauen in der
Gesellschaft, Umweltschutz oder Be-
kämpfung von Aids arbeiten. Sprachkenntnisse des Gastlandes sind von
Vorteil. Zur Vorbereitung musst du
an 25 Seminartagen teilnehmen.

Bewerben kannst du dich bei:
• ijgd Bonn für Länder in
  Osteuropa, Zentralasien und den
  Mittelmeeranrainerstaaten.
• ijgd Berlin für Länder in
  Afrika, Südasien und
  Lateinamerika.

Allgemeine Informationen
An dem Programm können junge
Menschen teilnehmen, die in
Deutschland wohnen.
Während deines Freiwilligen-
dienstes bekommst du ein Taschen-
geld und wir kümmern uns um
Übernachtung, Essen und deine
Krankenversicherung.
Hast du Interesse? Dann empfehlen
wir dir, dass du dich früh genug be-
wirbst. Denn die Anzahl der Bewer-
bungen ist oft höher als die Anzahl
der freien Plätze.

Nähere Informationen unter
www.ijgd.de.

1. Die ijgd orgnisieren
☐ a Aktivurlaube.
☐ b Studienplätze.
☐ c soziales Engagement.

2. Für *weltwärts* muss man
☐ a 18 bis 28 Jahre alt sein.
☐ b gesund und aktiv sein.
☐ c genug Taschengeld haben.

3. Die Zeit im Ausland dauert
☐ a 8 bis 28 Monate.
☐ b 25 Tage.
☐ c 6 bis 24 Monate.

4. Man muss
☐ a Seminare besuchen.
☐ b Geld haben.
☐ c eine Fremdsprache sprechen.

5. Frühe Bewerbung sind gut, weil
☐ a es oft nicht genug Plätze gibt.
☐ b man das Hotel buchen muss.
☐ c es nur einen Termin gibt.

Meinungen äußern

Das ist doch unmenschlich.

Ich finde es furchtbar, dass man Cremes an Tieren ausprobiert.

Nicht nur Politiker können etwas ändern.

Über Engagement sprechen

Ich protestiere gegen Tierversuche.

Ich setze mich für Kinder ein.

Ich sammle Spenden, damit die Kinder etwas essen können.

Wir kümmern uns um unsere jüngeren Mitschüler und Mitschülerinnen.

Widersprüche benennen

Ich bin zwar nicht Mitglied in einer Partei, aber ich engagiere mich im Jugendzentrum.

Ich helfe Kindern, obwohl ich selbst nicht viel Geld habe.

Das kostet Zeit, trotzdem mache ich die Aufgabe gern.

Außerdem kannst du ...

... Texte zum Thema „Engagement" verstehen.

... eine E-Mail zum Thema „Kinderpatenschaften" beantworten.

Grammatik   **kurz und bündig**

Obwohl und *trotzdem*

Hauptsatz	Nebensatz
Ich helfe Kindern,	obwohl ich nicht viel Geld habe.

Nebensatz	Hauptsatz
Obwohl ich nicht viel Geld habe,	helfe ich Kindern.

Hauptsatz	Hauptsatz
Ich habe nicht viel Geld,	trotzdem helfe ich Kindern.

Dafür, darüber ... – für ihn, über sie ...

da + Präposition beginnt mit Konsonant:	dafür, davon, dabei ...
da + r + Präposition beginnt mit Vokal:	darüber, daran, darauf ...

sich freuen **auf**	Bald sind Ferien.	Mein Bruder kommt morgen.
	Ich freue mich **darauf**.	Ich freue mich **auf ihn**.
sprechen **über**	Wir wollen das Problem lösen.	Ana mag Jorge.
	Wir sprechen **darüber**.	Sie spricht viel **über ihn**.

So ein Mist und ich habe mich so darauf gefreut.

Den Ausflug kannst du vergessen. Es soll den ganzen Tag regnen.

1 Jobs und Geld

a Lies den Text im Schülerbuch noch einmal und ergänze die Sätze.

auf die Schule – auf keinen Fall – etwas leisten – berufliche Zukunft – an erster Stelle

1. Ich möchte mir _____ können.

   Deshalb gehe ich zweimal pro Woche arbeiten.

2. Egal, was ihr arbeiten wollt: Für Schüler steht die Schule

   immer _____ .

3. Ein Schüler muss sich immer _____

   konzentrieren können.

4. Am besten sind Jobs, die auch für die _____

   nützlich sind.

5. Der Nebenjob darf _____

   das Lernen stören.

b Was passt? Es gibt immer zwei Möglichkeiten. Der Text im Schülerbuch hilft.

1. Damit man [*a*] [ ] kann, muss man Ideen
   haben, denn für ein Moped braucht man
   Geld.

   a) ~~sich etwas Schönes kaufen~~
   b) sich teure Sachen leisten
   c) gut verkaufen
   d) kein Geld ausgeben

2. Ein Nebenjob sollte [ ] [ ] nicht sehr
   anstrengend sein.

   a) nie   b) ganz sicher
   c) normalerweise   d) jeden Tag

3. Bei einem Ferienjob verdient man [ ] [ ]
   besser als beim Zeitungsaustragen.

   a) normalerweise   b) meistens
   c) nicht   d) täglich

4. Anzeigen für Minijobs [ ] [ ] in Zeitungen
   und im Internet.

   a) zeigt man   b) stehen
   c) erkennt man   d) findet man

5. Ihr müsst selbst [ ] [ ], damit ihr einen
   guten Job findet.

   a) aktiv werden   b) Geld verdienen
   c) Geld ausgeben   d) etwas tun

c Bei etwa jedem zweiten Wort fehlt etwa die Hälfte. Ergänze den Text.

Minijobs findet man in Tagesze__ __ __ __ __ __ __ und v__ __ allem im Inte__ __ __ __ .

Aber au__ __ im Super__ __ __ __ __ oder in d__ __ Stadtbücherei fin__ __ __ man

häu__ __ __ Aushänge. Da__ __ __ ihr Erf__ __ __ habt, sol__ __ __ __ ihr sel__ __ __ aktiv

wer__ __ __ und persö__ __ __ __ __ mit ei__ __ __ Firma Kon__ __ __ __ aufnehmen.

M__ __ muss 13 Ja__ __ __ alt se__ __ und d__ __ Eltern müs__ __ __ der Täti__ __ __ __ __

zustimmen. Zwis__ __ __ __ dem 13. u__ __ 14. Lebensjahr da__ __ man zw__ __ Stunden

täg__ __ __ __ arbeiten. Ab__ __ man da__ __ nicht v__ __ oder wäh__ __ __ __ der

Schu__ __ __ __ __ , nicht an Woche__ __ __ __ __ , Feiertagen od__ __ nach 18 U__ __

arbeiten. Zwis__ __ __ __ dem 15. u__ __ dem 18. Leben__ __ __ __ __ ist m__ __ laut

Ges__ __ __ Jugendliche/r. We__ __ ihr schulpf__ __ __ __ __ __ __ seid, mü__ __ __ ihr

eu__ __ an d__ __ Regeln f__ __ die 13- b__ __ 14-Jährigen hal__ __ __ .

⊕ Allerdings dürft ihr in den Schulferien bis zu vier Wochen im Jahr jobben.

2 Pro und Kontra Nebenjobs

a Wiederholung: Nebensätze mit *dass* – Ordne zu und schreib die Sätze. Es gibt mehrere Möglichkeiten.

1. In Deutschland ist es nicht erlaubt, …
2. Wir wussten nicht, …
3. Peter hat dem Arbeitgeber gesagt, …
4. Viola sagt, …
5. Das Gesetz erlaubt, …
6. Bei vielen Schülern ist es ein Problem, …

a) Sie sind nicht gut genug in der Schule.
b) Sie will mit dem Geld eine Reise machen.
c) Man bekommt nur schwer einen Ferienjob.
d) 10-Jährige arbeiten.
e) Er interessiert sich sehr für die Stelle.
f) 18-Jährige arbeiten vier Wochen in den Ferien.

> 1. + d) In Deutschland ist es nicht erlaubt, dass 10-Jährige arbeiten.

b Wiederholung *weil, denn, deshalb* – Schreib Sätze wie im Beispiel. Markiere die Unterschiede.

1. Ich gehe nicht arbeiten. Ich brauche zurzeit kein Geld.
2. Du kannst keine schwere Arbeit machen. Du gehst noch in die Schule.
3. Die Arbeitszeit darf nicht zu lang sein. Du brauchst auch Zeit für deine Freunde.
4. Du musst deine Eltern fragen. Deine Eltern müssen zustimmen.
5. Du darfst in den Schulferien vier Wochen arbeiten. Du bist über 15.
6. Ich habe einen guten Job bekommen. Ich kann mir ein neues Moped kaufen.

> Ich gehe nicht arbeiten, weil ich zurzeit kein Geld brauche.
> Ich gehe nicht arbeiten, denn ich brauche zurzeit kein Geld.
> Ich brauche zurzeit kein Geld, deshalb gehe ich nicht arbeiten.

c In einer Zeitschrift gibt es eine Diskussion zum Thema „Verbot von Schülerarbeit".
Schreib einen **Leserbrief** an die Zeitschrift.
Bearbeite in deinem *Leserbrief* die folgenden drei Punkte ausführlich:
  – Gib Meinungen wieder, die du in deiner Klasse zum Thema gehört hast.
  – Wie sieht es an deiner Schule mit Nebenjobs von Schülern aus?
  – Wie ist deine Meinung zu dem Thema? Begründe deine Meinung.

3 Radionachrichten

28 Du hörst Nachrichten aus dem Radio.
Zu jedem Text gibt es eine Aufgabe.
Kreuze die richtige Antwort an.

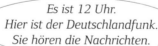

Es ist 12 Uhr. Hier ist der Deutschlandfunk. Sie hören die Nachrichten.

1. Das Wetter in Köln
   a bleibt gleich.
   b wird besser.
   c wird schlechter.

2. Es gibt in den Ferien
   a viele Ferienjobs.
   b wenige Ferienjobs.
   c keine Ferienjobs.

3. Die Regierung sagt, dass
   a zu viele Jugendliche arbeiten.
   b Jugendliche zu viel Geld haben.
   c Kinder jetzt arbeiten dürfen.

4. Festival-Besucher
   a müssen 20 Euro für die Eintrittskarte bezahlen.
   b fahren günstig mit öffentlichen Verkehrsmitteln.
   c können nicht mit dem Auto zum Festivalplatz fahren.

4 Kauf dir das Spiel!

a Wiederholung: reflexive Verben mit Akkusativpronomen – Ergänze die Sätze.

1. Thea: Leo ist Babysitter. Er kümmert *sich* um ein Baby. Dafür würde ich _____ auch interessieren.

2. Wir haben bald Abschlussprüfung. Deshalb müssen wir _____ auf die Schule konzentrieren.

3. Wenn ihr jobben wollt, müsst ihr _____ an das Jugendschutzgesetz halten.

4. Interessierst du _____ auch für einen Job in den Sommerferien?

5. Leon und Paul wollen keinen Nebenjob, sie wollen _____ in den Ferien ausruhen.

b Reflexive Verben mit Dativpronomen – Ergänze die Sätze.

1. ● Kannst du _____ vorstellen, in den Ferien zu jobben?

   ■ Ich kann _____ das nicht vorstellen. Dann müsste ich ja jeden Tag früh aufstehen.

   ● Ja, aber wenn ich jobbe, dann kann ich _____ z. B. ein neues Handy kaufen.

   ■ Ich kaufe _____ lieber weniger und kann _____ die Zeit für meine Musik nehmen.

2. ● Wir können _____ leider nicht alles leisten, was wir _____ wünschen.

   ■ Ich finde, man muss nicht alles haben. Man kann _____ ja auch mal etwas ausleihen. Oder man kann _____ mit etwas Fantasie vorstellen, dass man es hat.

   ● So ein Quatsch. Ihr könnt es _____ ja vorstellen. Wir werden aktiv und suchen _____ einen Nebenjob. Dann können wir _____ mehr leisten.

   ■ Aber ihr könnt _____ sowieso nicht alles leisten und dann seid ihr wieder unzufrieden.

c Reflexive Verben: Akkusativ- oder Dativpronomen?

   ● Karla hat _____ von mir ein Spiel ausgeliehen und hat es nicht zurückgegeben.

   ■ Ich kann _____ gut vorstellen, dass sie es vergessen hat. Ärger _____ nicht. Das ist doch typisch für sie. Sie wird _____ nicht ändern.

   ● Aber ich will es wiederhaben! Soll ich es _____ vielleicht noch einmal kaufen?

   ■ Entspann _____! Natürlich musst du es _____ nicht noch mal kaufen. Ruf sie an!

5 Da gibt es ein Problem.

Schreib die Aufforderungen mit *lassen*.

1. Ich will ausreden.
2. Ich will das erklären.
3. Ich will das Fahrrad allein reparieren.
4. Ich will allein sein.
5. Ich will arbeiten.
6. Ich will in Ruhe essen.
7. Ich will das Spiel zu Ende spielen.
8. Ich will schlafen.

Lass mich bitte ausreden.
Lassen Sie mich ausreden.

Smarti, steh auf! Du willst doch Geld verdienen!

Lass mich doch bitte einfach schlafen. Dann brauche ich kein Geld.

Über Ideen zum Geldverdienen sprechen

Meine Schwester jobbt als Tierpflegerin, denn sie möchte Tierärztin werden.

Mein Bruder hat früher Regale in einem Supermarkt eingeräumt, aber heute studiert er Wirtschaft.

Ein Bekannter von mir hat einen Ferienjob in einer Softwarefirma gemacht. Das war interessant.

Ich habe mal als Verkäufer auf dem Markt gearbeitet.

Über Vor- und Nachteile von Nebenjobs sprechen

Das Problem ist, dass es nicht einfach ist, einen Nebenjob zu finden.

Wenn man neben der Schule arbeitet, dann hat man weniger Zeit zum Lernen.

Ich finde Babysitten gut, weil man das meistens am Wochenende macht.

Manche sind nicht gut in der Schule, trotzdem jobben sie.

Viele bekommen wenig Taschengeld, deshalb kann ich verstehen, dass sie sich einen Job suchen.

Etwas reklamieren/umtauschen

Kunde/Kundin	Verkäufer/in
– Können Sie mir helfen?	– Guten Tag, kann ich Ihnen helfen?
– Ich habe ein Problem mit dem Handy.	– Haben Sie den Kassenzettel?
– Ich möchte das Handy zurückgeben.	– Ware ohne Verpackung nehmen wir nicht zurück.
– Das Gerät funktioniert nicht.	– Sie haben zwei Jahre Garantie.
– Das ist nicht fair von Ihnen.	– Sonderangebote kann man nicht umtauschen.
– Lassen Sie mich das erklären.	– Ich kann die Ware (nicht) umtauschen.
– Hören Sie mir doch einen Moment zu.	– Kann ich sonst noch etwas für Sie tun?
– Lassen Sie mich bitte ausreden.	– Ich möchte Ihnen das erklären.
– Das finde ich nicht in Ordnung.	– Das tut mir leid.

Tipps zum Einkaufen im eigenen Land geben

Bei uns hat man ein Umtauschrecht.

Wenn ein Produkt nicht funktioniert, dann muss das Geschäft es reparieren lassen oder umtauschen.

Bei uns bekommt man normalerweise nicht das Geld zurück. Man kann ein Produkt nur umtauschen.

In meinem Heimatland ist es wie in Deutschland.

Software kann man fast nie umtauschen, wenn die Originalverpackung fehlt.

Außerdem kannst du ...

... einen Zeitschriftenartikel über Nebenjobs von Schülern und Schülerinnen verstehen.

... ein Radiofeature zum Thema „Kaufsucht" verstehen.

... einen Dialog über eine Reklamation verstehen.

Grammatik		**kurz und bündig**

Reflexive Verben mit Dativpronomen

Ich kaufe mir (D) die Jacke (A).
Er kann sich (D) den Laptop (A) nicht leisten.

Wenn die reflexiven Verben ein Akkusativobjekt haben, steht das Reflexivpronomen im Dativ.

sich etwas wünschen, sich etwas suchen,
sich Zeit nehmen, sich etwas ausleihen,
sich etwas vorstellen ...

Reflexivpronomen im Dativ		
ich kaufe	mir	etwas
du kaufst	dir	etwas
er/es/sie/man kauft	sich	etwas
wir kaufen	uns	etwas
ihr kauft	euch	etwas
sie/Sie kaufen	sich	etwas

1 Glück und Enttäuschung

Hier sind zwei E-Mails durcheinander. Ordne die Textteile und schreib die E-Mails.

Betreff: _____ HTML-Editor

☐ Empfänger per SMS benachrichtigen (?) senden

Liebe Susi, Liebe Marina,
ich sitze allein in meinem Zimmer und denke an dich. Ich hoffe, es geht dir gut und du bist nicht so traurig wie ich. Ich möchte so gern bei dir sein, aber es geht nicht. Ich muss so viel für die Schule arbeiten, weil

ich denke die ganze Zeit an dich und freue mich so, dass wir uns morgen treffen können. Ich singe dauernd unser Lied vor mich hin: *Du bist das Beste, was mir je passiert ist.* Ich bin jetzt schon traurig, weil

wir am Donnerstag den Mathetest schreiben. Aber ab Freitag habe ich Zeit und ich freue mich schon darauf, dich zu sehen. Bis dahin habe ich nur dein Bild und unser Silbermondlied, das ich mir dauernd anhöre. *Du bist das Beste, was mir je passiert ist. Es ist so gut, dass es dich gibt.*

ich am Freitag nicht mit dir zusammen sein kann. Aber das Wochenende haben wir ganz für uns und hören zusammen Silbermond: *Es ist so gut, dass es dich gibt!* Du weißt gar nicht, wie sehr ich dich liebe und wie lange die Zeit ohne dich für mich ist. Hoffentlich merkst du das ein bisschen.
Ich liebe dich und es tut so gut, wenn du mich liebst!
Fred

Ich liebe dich!
Fred
PS: Am Samstag und Sonntag hab ich leider ein Turnier im Sportverein. Mist!

---

2 Als er Marina sah …

a Ergänze *seit, als* und *bevor*.

1. Fred liebt Marina, _seit_ er sie zum ersten Mal gesehen hat.

2. _____ er sich nicht von Susi getrennt hat, will Marina nichts mit ihm zu tun haben.

3. Susi war sehr wütend, _____ Fred mit ihr Schluss gemacht hat.

4. Mit Regina kann man nichts mehr machen, _____ sie einen Freund hat.

5. Du musst dich über die Prüfung informieren, _____ du mit dem Lernen anfängst.

6. _____ ich mich auf die Prüfung vorbereitet habe, habe ich drei lang Wochen nur gelernt.

b Schreib je einen Satz mit *seit, als, bevor* und *während* ins Heft. Es gibt mehrere Möglichkeiten.
Vergleicht in der Klasse.

1. Ich habe viele neue Freunde gefunden, … (in Deutschland / sein)
2. Ich habe keine Problem mit dem Sprechen mehr, … (Schüleraustausch / machen)
3. Ich habe sehr oft Kartoffelsalat gegessen, … (in Deutschland / sein)
4. Ich konnte noch nicht so gut Deutsch sprechen, …
   (Schüleraustausch / machen)

> *Ich habe viele neue Freunde gefunden,*
> *als ich in Deutschland war.*

3 Moderne Männer – fitte Frauen

a Wiederholung: Adjektivdeklination. Ergänze die Adjektivendungen.

Der neue Freund

Adjektive nach unbestimmten Artikeln, *kein-* und Possessivartikeln.

1. Gestern habe ich meinen neu_____ Freund zum ersten Mal mit nach Hause gebracht.

2. Er hat gesagt: „Ich möchte eine großzügig_____ Frau mit einem groß_____ Bankkonto heiraten."

3. Ich habe meinen fast immer sehr ruhig_____ Vater noch nie so wütend gesehen.

4. Er hat geschrien: „Ich will keinen faul_____, frech_____ Schwiegersohn!"

5. Dabei wollte mein arm_____, lieb_____ Freund nur einen klein_____ Witz machen.

Der Schauspieler

Adjektive nach bestimmten Artikeln.

6. Der älter_____ Bruder von meinem Schulkameraden ist Schauspieler.

7. Im letzten Film hat er den bös_____ Sohn von der reichste_____ Familie Europas gespielt.

8. Mit diesem interessant_____ Film ist er der zurzeit berühmtest_ jung_____ Schaupieler geworden.

9. Im nächste_____ Film soll er den schön_____, aber untreu_____ Freund einer verheirateten Frau spielen.

10. Die lieb_____, aber etwas konservativ_____ Eltern von ihm finden das gar nicht gut.

32–35 **b** Freunde und Freundinnen – Du hörst vier Aussagen von Gästen in einer Radiosendung.
Ordne die Aussagen einem Thema zu.
Lies zuerst die Liste mit den verschiedenen Themen (A–H).
Notiere beim Hören zu jeder Aussage den richtigen Buchstaben (A–H).
Einige Buchstaben bleiben übrig.

Themen A–H

A Konflikte muss man persönlich besprechen.
B Jüngere Geschwister sind oft sehr anstrengend.
C Man soll sich auch um die Freundinnen kümmern.
D Tipps zum Kennenlernen
E Es ist schön, wenn man ältere Geschwister hat.
F Freundinnen sind oft eifersüchtig.
G Man braucht eine Person, mit der man über alles sprechen kann.
H Schluss machen über WhatsApp ist unmöglich!

Aufgabe (Hörtext)	Buchstabe (Thema)
1	_____
2	_____
3	_____
4	_____

4 Liebeslied – Silbermond: Du bist das Beste, was mir je passiert ist.

a Lies den Liedtext. Welche Illustrationen passen?

Ich habe einen Schatz gefunden,
und er trägt deinen Namen.
So wunderschön und wertvoll,
mit keinem Geld der Welt zu bezahlen.
Du schläfst neben mir ein,
ich könnte dich die ganze Nacht betrachten,

1 _____

hören, wie du atmest,
bis wir am Morgen erwachen.
Hast es wieder mal geschafft,
mir den Atem zu rauben,
wenn du neben mir liegst,

2 _____

dass jemand wie ich so was Schönes
wie dich verdient hat.

Refrain:
Du bist das Beste, was mir je passiert ist,

3 _____

Vergiss den Rest der Welt,
wenn du bei mir bist.
Du bist das Beste, was mir je passiert ist,
es tut so gut, wie du mich liebst.
Ich sag's dir viel zu selten,

4 _____

Dein Lachen macht süchtig,
fast so, als wär es nicht von dieser Erde.
Auch wenn deine Nähe Gift wäre,
ich würde bei dir sein so lange, bis ich sterbe.
Dein Verlassen würde Welten zerstören,

5 _____

Viel zu schön ist es mit dir,
wenn wir uns gegenseitig Liebe schenken.
Betank mich mit Kraft,
nimm mir die Zweifel von den Augen,
erzähl mir 1.000 Lügen,

6 _____

doch ein Zweifel bleibt,
dass ich jemand wie dich verdient hab.

Refrain
Wenn sich mein Leben überschlägt,
bist du die Ruhe und die Zuflucht,
weil alles, was du mir gibst,
einfach so unendlich guttut
Wenn ich rastlos bin,
bist du die Reise ohne Ende.
Deshalb leg ich meine kleine, große Welt
in deine schützenden Hände.

Refrain

Das Beste Text von Kloss, Stefanie/Nowak, Andreas/Stolle, Thomas/Stolle, Johannes Silbermond Musikverlag GmbH bei BMG Rights Management GmbH, Berlin

b Ordne die fehlenden Textzeilen zu. Du findest das Lied im Internet. Suchwort: *Du bist das Beste …*

a) es tut so gut, wie du mich liebst.

b) dann kann ich es kaum glauben,

c) ich würd' sie dir alle glauben,

d) es ist schön, dass es dich gibt.

e) doch daran will ich nicht denken.

f) sehen, wie du schläfst,

Über zeitliche Abläufe sprechen

Als er Marina sah, war er sofort in sie verliebt.

Seit Marina in der Klasse ist, hat er nur noch Zeit für sie.

Bevor Marina in unsere Klasse kam, war Fred mein Freund.

Über Gefühle sprechen

Ich liebe dich.

Du gefällst mir sehr. / Sie gefällt ihm sehr. / Er gefällt ihr sehr.

Seit er/sie da ist, habe ich nur noch Augen für ihn/sie.

Fred konnte nicht mehr klar denken.

Susi war total eifersüchtig.

Menschen charakterisieren / beschreiben

Er/Sie ist schön/lieb/frech …

Er/Sie ist (nicht) ehrlich.

Du kannst ihm/ihr (nicht) vertrauen.

Mein Mann/Freund d soll kreativ und lieb sein.

Meine Frau/Freundin soll lustig und aktiv sein.

Er/Sie darf nicht … sein.

Die Person ist … groß.

Sie sieht sehr gut / ziemlich gut aus.

Sie hat braune/… Haare/Augen.

Sie kann besonders gut singen/tanzen/…

Er/Sie sollte … sein/haben.

Über Gedichte sprechen

Ich mag Gedichte sehr. Ich finde …

Das Gedicht von … finde ich am schönsten, weil es …

Mir gefallen Gedichte nicht so sehr, weil …

Außerdem kannst du …

… Gedichte und Lieder zum Thema „Liebe" verstehen.

… einen Comic verstehen.

Grammatik   kurz und bündig

Temporale Konjunktionen: *seit, als, bevor*

Hauptsatz		Nebensatz	
Fred und Susi waren ein Paar,		bevor	Marina kam.
Susi war total eifersüchtig,		als	sie Fred mit Marina sah.
Fred ist in Marina verliebt,		seit	er sie gesehen hat.

Mein Tipp:
Wenn der Nebensatz vor dem Hauptsatz steht, bleiben die Verben zusammen.

Nebensatz		Hauptsatz
Bevor	Marina kam,	waren Fred und Susi ein Paar.
Als	Susi Fred mit Marina gesehen hat,	war sie total eifersüchtig.
Seit	Fred Marina gesehen hat,	ist er in sie verliebt.

1 Erde, Wasser, Licht und Luft

Ergänze die Sätze.

Feuer – Luftverschmutzung – Trinkwasser – Überschwemmungen – elektrisches Licht

1. In einer Großstadt ist es nie richtig dunkel. Es gibt auch nachts viel _____.
2. Durch Verkehr und Industrie gibt es eine starke _____, die krank macht.
3. In immer mehr Regionen regnet es nicht genug. Es gibt nicht genug _____.
4. Auch die Wälder sind dann sehr trocken und es entsteht schnell ein _____.
5. In anderen Regionen regnet es zu viel und es gibt schwere _____.

2 Jugend und Klimawandel

37 **a Wer meint was? Hör zu und kreuze an: Emma Ⓔ, Yasin Ⓨ oder beide?**

1. „Klima und Umwelt" ist ein wichtiges Thema.   Ⓔ Ⓨ
2. Mit neuen technischen Erfindungen kann man etwas für die Umwelt tun.   Ⓔ Ⓨ
3. Ich möchte später einmal über Umwelttechniken forschen.   Ⓔ Ⓨ
4. Beim Umweltschutz ist Politik wichtiger als Technik.   Ⓔ Ⓨ
5. Wir brauchen bessere Gesetze.   Ⓔ Ⓨ
6. Ich möchte später über umweltfreundliche Technik forschen.   Ⓔ Ⓨ

b Liese den Text kreuze an: Ⓡ richtig oder Ⓕ falsch.

Umweltschutz ja – Engagement eher nein

Eine Umfrage des Bundesumweltministeriums aus dem Jahr 2014 zeigt, dass Umwelt- und Naturschutz eins der wichtigsten Themen in Deutschland ist. Fast drei Viertel der Befragten
5 schätzen die Situation in ihrer Heimat als sehr gut ein. Viele tun auch im Alltag etwas für die Umwelt: 83 % kaufen häufig Energiesparlampen. 79 % verzichten häufig auf Plastiktüten, fast ein Drittel verzichtet sogar immer auf
10 Plastiktüten.

Das Auto spielt immer noch die größte Rolle bei der Mobilität: Mehr als zwei Drittel der Deutschen (71 %) nutzen das Auto häufig, fast ein
15 Drittel (27 %) sogar immer im Alltag. Mit dem Fahrrad fahren nur 8 % immer, aber immerhin 41 % häufig. Die Einstellung zum umweltpolitischen Engagement ist widersprüchlich. Fast die Hälfte (48 %) können sich ein Enga-
20 gement vorstellen. Tatsächlich engagieren sich aber nur 8 %.

1. Die Deutschen haben Angst, dass sich ihre Umwelt immer mehr verschlechtert.   Ⓡ Ⓕ
2. Die meisten Deutschen benutzen keine Plastiktüten mehr.   Ⓡ Ⓕ
3. Auf das Auto wollen die meisten nicht verzichten.   Ⓡ Ⓕ
4. Im Alltag benutzen die meisten das Fahrrad.   Ⓡ Ⓕ
5. Nur wenige engagieren sich aktiv für den Umweltschutz.   Ⓡ Ⓕ

c Wiederholung: indirekte Fragen. Schreib die Fragen zum Text auf Seite 56 als indirekte Fragen.

1. Wie wichtig ist der Umwelt- und Naturschutz für die Menschen in Deutschland?

   Das Ministerium wollte wissen, _____.

2. Was tun die Deutschen im Alltag für den Umweltschutz?

   Die Umfrage sollte klären, _____.

3. Wollen die Deutschen auf Plastiktüten beim Einkaufen verzichten?

   Man wollte auch erfahren, _____.

4. Welche Verkehrsmittel nutzen die Deutschen am meisten für die Wege im Alltag?

   Man hat auch gefragt, _____.

3 Wegen des Klimawandels …

a Ergänze die Artikel wie im Beispiel.

1. Wegen *ihrer* (ihr) Krankheit ist sie seit zwei Wochen nicht zur Schule gekommen.
2. Trotz _____ (die) Sonne trägt Inga beim Skifahren keine Sonnenbrille.
3. Wegen _____ (unser) Party wird es heute Nacht etwas lauter im Haus.
4. Wegen _____ (das) Konzerts morgen kann sie heute nicht Tennis spielen.
5. Trotz _____ (der) Mathetests geht er heute Abend mit seinen Freunden Fußball spielen.
6. Trotz _____ (die, Pl.) vielen Autos kann man hier gut mit dem Fahrrad fahren.

b Schreib die Sätze aus 3a als *weil*-Sätze oder *obwohl*-Sätze wie im Beispiel.

> 1. Weil sie krank ist, ist sie seit zwei Wochen …
> 2. Obwohl die Sonne scheint, …

c Schreib Sätze mit *wegen* oder *trotz* wie im Beispiel.

1. Weil wir die Luft verschmutzen, wird es immer wärmer. (die Luftverschmutzung)

   Wegen der Luftverschmutzung wird es immer wärmer.

2. Obwohl es so trocken ist, wachsen einige Pflanzen. (die Trockenheit)

   _____

3. Weil es immer wärmer wird, gibt es immer mehr Unwetter. (die Erderwärmung)

   _____

4. Obwohl es regnet, findet die Veranstaltung statt. (der Regen)

   _____

5. Weil es schneit, müssen die Autos langsam fahren. (der Schnee)

   _____

6. Obwohl ich erkältet bin, gehe ich zur Schule. (die Erkältung)

   _____

7. Weil es so sonnig ist, muss ich eine Kappe tragen. (die Sonne)

   _____

8. Obwohl es Winter ist, liegt kein Schnee. (der Winter)

   _____

4 Was tun mit dem Müll?

a Was gehört nicht in diese Tonne? Markiere.

Plastik Biomüll Papier Glas Sperrmüll

Plastik: Nudeltüte, Plastiktüte, Handtuch, Coladose, Milchtüte, Joghurtbecher

Biomüll: Eierschalen, Pflanzen, Tee, Kaffee, Einkaufstüte, Salat, Essensreste

Papier: Zeitung, Brief, Prospekt, Blumen, Bleistift, Zeitschrift, Heft, Notizzettel

Glas: Senfglas, Bierdose, Marmeladenglas, Weinflasche, Saftflasche, Mayonnaiseglas

Sperrmüll: Bett, Teppich, Holzregal, Fahrrad, Sessel, Lampe, Zahnbürste

b Wie viele Komposita aus Einheit 12 kannst du mit diesen Elementen bilden?

Klima	Energie	Natur	Strom	wandel	wende	katastrophe	schutz
Umwelt	Plastik	Müll	Wasser	flasche	eimer	verbrauch	

die Naturkatastrophe

c Was passt nicht? Markiere.

Man kann …

1. Müll   trennen – recyceln – vermeiden – gefährden
2. Plastiktüten   verbieten – wegwerfen – trennen – recyceln
3. Wasser   reduzieren – sparen – verschmutzen – trinken
4. Strom   sparen – verbrauchen – ausgeben – brauchen
5. Verpackungen   kaufen – vermeiden – beantworten – öffnen

5 Von der Natur lernen

Ergänze den Text.

Das Wort „Bionik" ist vielen Leuten unbekannt.

Was kompl__ __ __ __ __ __ erscheint, ist

eigen__ __ __ __ ganz einfach. D__ __ deutsche Wort

Bio__ __ __ setzt sich a__ __ den Wörtern

Biol__ __ __ __ und Technik zusa__ __ __ __ und

bedeutet, v__ __ der Natur f__ __ die Technik zu

ler__ __ __. Wissenschaftler untersuchen d__ __ Natur

und vers__ __ __ __ __, sie zu vers__ __ __ __ __, um

dieses Wis__ __ __ dann für d__ __ Menschen und

f__ __ technische Erfindungen zu nut__ __ __. Hier arbeiten

Naturwisse__ __ __ __ __ __ __ __ __ und Ingenieure,

Archi__ __ __ __ __ __ und Philosophen zusa__ __ __ __.

Sie definieren zue__ __ __ das Problem u__ __ suchen

zusammen na__ __ Lösungen in d__ __ Natur. So i__ __

zum Beispiel d__ __ Lotusblume das Vor__ __ __ __ für

selbstreinigende Mater__ __ __ __ __ __.

Über die Natur und Technik sprechen

Wie kann die Natur uns helfen? Mit dieser Frage beschäftigt sich die Bionik.

In der Bionik ahmen die Ingenieure und Wissenschaftler die Natur nach.

Die Ingenieure arbeiten mit Naturwissenschaftlern, Architekten, Biologen usw. zusammen.

Sie definieren gemeinsam ein Problem und suchen eine Lösung in der Natur.

Überraschung/Zweifel äußern

Mich überrascht, dass viele Jugendliche Angst vor Naturkatastrophen haben.

Ich bin nicht sicher, wie die Jugendlichen in meinem Heimatland denken.

Ich vermute, dass sich junge Leute bei uns mehr / nicht so viel für Umweltschutz interessieren.

Ich frage mich, warum nur wenige Jugendliche ein Umweltprojekt in ihrer Region kennen.

Über Umweltprobleme diskutieren

Viele Menschen setzen sich für den Umweltschutz ein.

83 % würden wegen der Umweltprobleme auf persönliche Vorteile verzichten.

Ich interessiere mich für den Tierschutz.

Viele Menschen haben Angst vor Naturkatastrophen.

In Deutschland muss man den Müll trennen.

Glas gehört in den Glascontainer, Joghurtbecher gehören in den gelben Sack.

Außerdem kannst du ...

... Sachtexte zu den Themen „Umweltschutz" und „Bionik" verstehen.

Grammatik   kurz und bündig

Nomen und Adjektive im Genitiv

	Nominativ	Genitiv
maskulin	der Lärm	des Lärms
	der Wind	des Windes
neutral	das Wasser	des Wassers
	das Glas	des Glases
feminin	die Natur	der Natur
Plural	die Umweltprobleme	der Umweltprobleme

Trotz der Kälte, des starken Regens und des heftigen Windes sind wir nach Hause geflogen.

Maskuline und neutrale Nomen haben im Genitiv oft -(e)s.

Adjektive haben im Genitiv die Endung -n.

! Plural (= ohne Artikel): trotz großer Vorteile/Probleme/Anstrengungen

---

wegen und *trotz* + Genitiv

Wegen des Regens sind wir zu Hause geblieben.

Die Ozeane werden wegen des Klimawandels immer wärmer.

Trotz der Umweltprobleme möchten viele Leute nicht auf Komfort verzichten.

In der Umgangssprache benutzt man oft *wegen* und *trotz* mit Dativ.

Ich rufe dich morgen wegen dem Geld für unser Projekt an.

Trotz dem schlechten Wetter können wir mit dem Fahrrad fahren.

Aussprache trainieren

1 Der Buchstabe *e*

38 **a** Hör zu und sprich nach.

1. ehrlich, bequem,
2. frech, menschlich, nett
3. böse, wütend, berühmt
4. aber, leider
5. weich, einfach

Das lange e spricht man als helles e [eː].
Das kurze e spricht man wie ein kurzes ä [ɛ].
Das e in der Endung und im Wort spricht man schwach als e [ə].
Die Endung -er spricht man als kurzes a [ɐ].
Den Diphtong ei spricht man ai [ai̯].

b Schreib mit den Adjektiven in 1a drei Sätze über eine Person. Lies sie laut. Achte auf die Aussprache der *e*.

Er ist ehrlich, aber er wird leider schnell wütend.

2 Fremdwörter mit nichtdeutscher Aussprache

39 Hör zu und sprich nach.

das Moutainbike – der Job – jobben – das Radiofeature – der Bestellbutton – die Blu-Ray –
die Software – das Engagement – sich engagieren – der Journalist – die Journalistin

Wortschatz trainieren

3 Einkaufen

a Wie viele Wörter fallen dir zu den Bildern A und B ein? Vergleiche in der Klasse.

Bild A: der Jogurt, der Quark

b Lebensmittel kaufen – Schreib zu 1–6 jeweils mindestens zwei Lebensmittel.

 1. eine Packung _____

 4. die Flasche _____

 2. ein Stück _____

 5. der Liter _____

 3. eine Dose _____

 6. das Gramm/Kilo _____

4 Nomen und Verben

a Was passt zusammen? Ordne jedem Nomen mindestens vier Verben zu.

anfangen – anrufen – arbeiten – ausgeben – ausschalten – beenden – beginnen – benutzen – beschäftigen – beschreiben – brauchen – definieren – einkaufen – einschalten – erhöhen – erklären – fallen – finden – hören – kaufen – kennenlernen – leihen – lesen – lieben – lösen – nachahmen – nutzen – recyceln – reduzieren – reparieren – sortieren – sparen – steigen – suchen – trennen – umtauschen – verdienen – vergleichen – verkaufen – verlieren – verstehen – wegbringen – zurückgeben

1. Geld   _zurückgeben_
2. eine Arbeit
3. im Supermarkt
4. ein Problem
5. ein Smartphone
6. die Welt
7. eine Zeitung
8. die Preise
9. einen Menschen
10. den Energieverbrauch
11. den Müll
12. den Lotuseffekt

b Ergänze die Sätze mit Ausdrücken aus 4a. Es gibt mehrere Möglichkeiten.

1. Ich habe Lena vor einer Woche _Geld_ _geliehen_ . Sie hat mir die 10 Euro nicht _zurückgegeben_ .
2. Die Schulkantine hat schon wieder die _____ _____ .
   Sie wird immer teurer.
3. Erkläre mir das noch mal. Ich will das _____ genau _____ .
4. Würden Sie bitte ihr _____ _____ ! Im Kino ist
   Telefonieren verboten!
5. Er _____ den _____ nicht gern. Er wirft alles
   in eine Tonne.
6. Kannst du bitte im _____ etwas _____ ?
   Der Kühlschrank ist leer.

5 Adjektive

Wie heißt das Gegenteil?

aktiv – billig – dick – dumm – hart – hässlich – intolerant – kompliziert – leichtsinnig – leise – mutig – schnell – schwach – untreu

ängstlich		schön	
einfach		stark	
klug		teuer	
langsam		tolerant	
laut		treu	
passiv		vorsichtig	
schlank		weich	

Strukturen trainieren

6 Wörter und Texte

Welche Wörter passen? Kreuze die richtige Lösung an: a , b **oder** c .

Von:	sbiste@atl.de
An:	info@ plutomedia.com
Betreff:	Umtausch/Reklamation

(1) geehrte Damen und Herren,

(2) zwei Wochen habe ich bei Ihnen eine DVD mit dem Spiel „Eiszeit" gekauft. (3) ich das Spiel kaufte, habe ich den Verkäufer gefragt, ob es auch auf Mac-Computern läuft. Er hat (4) gesagt, dass das kein Problem ist. (5) ich das Spiel zu Hause ausprobieren wollte, funktionierte (6) nicht. Danach bin ich zum Laden zurückgegangen und (7) das Spiel zurückgeben. Aber der Verkäufer sagte, dass er Spiele nicht zurücknehmen kann. Er (8) mir eine andere DVD und ich nahm sie mit nach Hause, um sie (9). Aber die andere DVD läuft (10) mir auch nicht. Die DVD ist (11) kaputt, sondern es muss einen Programmierfehler geben. Ich möchte Sie deshalb bitten, mir das Geld zurückzugeben.

Mit freundlichen (12)

Omar Biste

1. ☒ Sehr	b Viel	c Meine	7. a wollen	b wollte	c wolltest
2. a seit	b um	c vor	8. a gab	b gibt	c gegeben
3. a bevor	b vor	c bei	9. a ausprobieren	b ausprobiert	c auszuprobieren
4. a mir	b mich	c ich	10. a in	b bei	c zu
5. a Bevor	b Nach	c Als	11. a nicht	b nie	c kein
6. a er	b es	c sie	12. a Grüße	b Gruß	c Grüßen

7 Pronomen und Possessivartikel

Ergänze die Sätze.

dem – den – dir – du – es – euren – ihn – ihn – ihr – ihre – ihren –mich – mir – mir – sich – sich – unseren

1. Das ist nicht dein Handy, das gehört _____ . Ich habe es hier liegen lassen.

2. ● Wo ist Paul? Ich habe _____ lange nicht gesehen.

   ■ Bei mir hat er _____ auch seit Wochen nicht gemeldet.

3. Gefällt _____ meine Hose?

4. Ich liebe _____ , aber er liebt _____ nicht.

5. Ich hätte gern ein neues Smartphone, aber _____ ist _____ zu teuer.

6. Kannst du diesen USB-Stick Sandra geben? Ich glaube, er ist von _____ .

7. Murat, ich habe einen Pullover gefunden. Ich glaube, _____ hast den hier vergessen.

8. Der Mann, _____ wir gestern getroffen haben, ist mein Onkel Amir.

9. Hülya hat _____ schon wieder einen Laptop gekauft. Jetzt hat sie drei!

10. Der Bus, mit _____ du fahren musst, ist die Nummer 15.

11. Ihr fahrt mit _____ Mountainbikes und wir mit _____ Fahrrädern.

12. Sie müssen _____ Stromverbrauch reduzieren, weil _____ Rechnung so hoch ist.

8 Infinitiv mit *zu*

Schreib die Sätze.

1. sich engagieren / keine Lust haben / er   *Er hat keine Lust, sich zu engagieren.*
2. kein Geld haben / ein Smartphone kaufen / ich
3. schwimmen gehen / es guttun / mir   *Es tut mir gut*
4. den Müll trennen / es hassen / sie
5. die Küche aufräumen / es blöd finden / er
6. laut Musik hören / es lieben / mein Bruder
7. keine Zeit haben / Briefe schreiben / ich
8. Strom sparen / es eine gute Idee finden / wir

9 Sätze verbinden

a Welcher Konnektor passt? Schreib die Sätze mit *obwohl, trotzdem, deshalb, weil*. Es gibt mehrere Möglichkeiten.

1. Ich habe nicht viel Zeit. Ich engagiere mich für Flüchtlinge.
2. Ich bin nicht gut in Mathe. Ich muss viel lernen.
3. Meine Uhr ist kaputt. Ich wünsche mir eine neue Uhr zum Geburtstag.
4. Man kann DVDs eigentlich nicht umtauschen. Ich versuche es.
5. Murat mag Selika. Sie ist so fröhlich.
6. Selika geht mit Oskar aus. Sie liebt eigentlich Murat.
7. Ich bin gerne im Wald. Ich fahre dort oft mit meinem Mountainbike.
8. Meine Mutter mag Rosen. Ich schenke ihr welche.

> *1. Ich habe nicht viel Zeit, trotzdem engagiere ich mich für Flüchtlinge.*
> *2. Obwohl ich nicht …*

b Ergänze die Sätze mit *seit, als, bevor, während*.

1. Wir müssen den Klimawandel stoppen, _____ es zu spät ist.
2. _____ vielen Jahren wird es jedes Jahr ein bisschen wärmer.
3. _____ Mirko in die neue Schule kam, haben ihm die Mitschüler viel geholfen.
4. Das Handy muss ausgeschaltet sein, _____ du im Kino sitzt.

10 Indirekte Fragen

Philosophie und Wissenschaft – Schreib indirekte Fragen mit W-Wörtern oder *ob*.

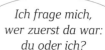

Ich frage mich, wer zuerst da war: du oder ich?

1. Seit wann gibt es Menschen? – Ich möchte wissen, …
2. Gibt es Leben im Weltall? – Mich interessiert, …
3. Woher kommt das Wasser auf der Erde? – Wer weiß, …?
4. Wie lange scheint die Sonne noch? – Weiß jemand, …?
5. Was ist ein „T-Rex"? – Wie finde ich heraus, …?
6. Warum regnet es in der Sahara nicht? – Ist bekannt, …?
7. Wird es einmal Frieden geben? – Keiner kann sagen, …
8. War zuerst die Henne da oder das Ei? – Niemand weiß, …

> *1. Ich möchte wissen, seit wann es Menschen gibt.*
> *Mich interessiert, ob …*

1 Millionen Jahre Technik

a Im Suchrätsel sind 30 Gegenstände aus dem Alltag (Kleidung, Wohnung …). Wie viele findest du?

P	U	L	L	O	V	E	R	F	A	H	R	R	A	D	B	Z	K	K	H
T	E	L	E	F	O	N	E	L	B	L	U	S	E	M	R	P	S	O	A
I	R	J	A	C	K	E	G	A	E	M	Ü	T	Z	E	I	G	W	P	N
S	M	E	S	S	E	R	A	S	C	A	S	I	B	Ü	L	L	S	F	D
C	T	A	S	S	E	H	L	C	H	N	O	E	A	I	L	A	C	H	Y
H	A	N	D	S	C	H	U	H	E	T	F	F	L	Ä	E	M	H	Ö	G
T	A	S	C	H	E	Ä	H	E	R	E	A	E	L	B	T	P	A	R	L
T	O	P	F	T	Ü	R	C	D	O	L	B	L	Ö	F	F	E	L	E	A
B	L	E	I	S	T	I	F	T	T	E	P	P	I	C	H	T	G	R	S

b Wähle zehn Gegenstände aus. Aus welchem Material können sie sein? Vergleicht in der Klasse.

der Tisch: Holz, Metall, Stein, Plastik

2 Eine Erfolgsgeschichte

a Gegenteile – Ordne zu.

voll — natürlich — sich zeigen — in den kommenden Jahren — berühmt — sich verstecken — etwas langweilig finden — von etwas fasziniert sein — privat — unbekannt — künstlich — in der Öffentlichkeit — in den letzten Jahren — schließen — öffnen — leer

b Ergänze die Erklärungen 1–7. Drei Wörter bleiben übrig.

besetzen – einsetzen – erwarten – fördern – Fortschritt – kommenden – konstruieren – Mechaniker – schneiden – Vorführung

1. Eine Person, die eine Maschine repariert oder bedient: *der Mechaniker* .
2. Eine öffentliche Präsentation von etwas: eine *Vorführung* von einem Theaterstück, einem Film oder einem neuen Produkt.
3. Ein anderes Wort für *machen, bauen*: eine Maschine *konstruieren*
4. Ein anderes Verb für *verwenden*: Man kann Roboter in der Autoindustrie *einsetzen* .
5. In den *nächsten* Jahren: in den *kommenden* Jahren.
6. Man denkt, dass etwas kommen wird: eine Krise oder ein Ereignis *erwarten* .
7. Geld geben für etwas: eine Forschungsarbeit oder ein soziales Projekt *fördern* .

c Was können Roboter machen? Ordne zu. Es gibt mehrere Möglichkeiten.

Autos — Menschen — Rasen — den Boden — Essen — im Haushalt — Kranke — Maschinen

operieren — mähen — helfen — produzieren — bringen — reparieren — bedienen — putzen — pflegen

Autos produzieren/reparieren

d Wozu kann man Roboter benutzen? Schreib Sätze mit den Vorgaben aus 2c.

1. Im Garten kann man Roboter benutzen, um …
2. Im Krankenhaus kann man Roboter benutzen, um …
3. In der Industrie kann man Roboter benutzen, um …
4. Im Haushalt kann man Roboter benutzen, um …

> *Im Garten kann man Roboter benutzen, um den Rasen zu mähen.*

e Schreib die Sätze aus 2d noch einmal.

1. Ich glaube, dass …, um …
2. Ich habe gehört, dass man …
3. Ich habe gelesen, dass …
4. Ein Freund hat mir erzählt, dass er …, um …

> *Ich glaube, dass man im Garten Roboter benutzen kann, um den Rasen zu mähen.*

3 Überall werden immer mehr Roboter eingesetzt.

a Was ist das? Ordne die Bilder A–E den Stichworten und Beschreibungen 1–5 zu.

   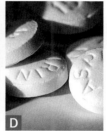 
A   B   C   D   E

1 ☐ C   erfinden / es / 1886 von Carl Benz
fahren / 1888 / es / von Bertha Benz von Mannheim nach Pforzheim   *1888 wurde es von … mit Fabriken*
benutzen / In Deutschland / werden / mehr als 40 Mio.

2 ☐ D   herstellen / 1897 / es / zum ersten Mal
produzieren / Es / zuerst / in Deutschland
verwenden / Heute / es / in der ganzen Welt
verwenden / Es / gegen Kopfschmerzen
nehmen / Es / auch bei Herzproblemen

3 ☐ A   entwickeln / Diese Technik / ab 1982 /
von einem Forscherteam
verkaufen / Seit 1998 /
Geräte mit dieser Technik
verwenden / Diese Technik / besonders viel im
Internet

4 ☐ B   Diese Technik hat man in der Schweiz
erfunden. Die Idee hat man 1951 zum Patent
angemeldet. Man hat diesen Gegenstand unter
dem Namen Velcro zum ersten Mal verkauft.
Man benutzt ihn häufig bei Schuhen, Mänteln
und Jacken.

5 ☐ E   1922 produzierte man das erste.
Heute produziert man täglich 80 Millionen.
Die roten isst man am liebsten.
Man verkauft sie in mehr als 100 Ländern.

b Schreib die Sätze und Texte aus 3a im Passiv (Präsens oder Präteritum).

> *1886 wurde es von Carl Benz erfunden. 1888 wurde …*

4 Von wem wird was gemacht?

Welcher Beruf passt? Schreib die Sätze.

r̶A̶t̶z̶ – heMacknier – hocK – tArz – kArtichten – genIneuri – reVkufäre – Apltfengeler

1. Der Patient wird operiert.
2. Das Auto wird repariert.
3. Das Essen wird gekocht.
4. Die Brücke wird gebaut.
5. Das Haus wird geplant.
6. Der Kunde wird bedient.
7. Der Patient wird beraten.
8. Der alte Mann wird gepflegt.

> *Der Patient wird vom Arzt operiert.*

5 Diskussion: Mikrochips im Kopf als Lernhilfe?

40 Wer sagt was? Hör zu. Kreuze an: **Bert, Ron, Rike, Sandra, Tillmann**

Be	Ro	Ri	Sa	Ti	
					… würde sich bei Gesundheitsproblemen einen Chip einbauen lassen.
					… würde Lernchips benutzen, hätte aber lieber Glückstabletten.
					… findet Lernchips keine gute Idee.
					… würde sich einen Lernchip einbauen lassen, wenn das helfen würde.
					… hätte Angst vor einem Lernchip im Kopf.

6 Leserbriefe

Gib die Meinungen von Lars und Bea wieder. Ergänze die Sätze.

Eine Internetschule finde ich super. Ich hasse es, jeden Morgen so früh aufzustehen. Ich muss mit dem Schulbus eine Dreiviertelstunde fahren, deshalb muss ich immer schon um sechs Uhr aufstehen. Wenn ich nicht mehr zur Schule fahren müsste, dann könnte ich in Ruhe ausschlafen. Das wäre toll. Außerdem dürfen wir in der Schule nicht essen. Aber ich kann viel besser lernen, wenn ich ein biss-chen Obst oder Süßigkeiten auf meinem Tisch stehen habe. An meinem eigenen Schreibtisch könnte ich das machen, wie ich will. Deshalb hätte ich gerne eine Internetschule. (Lars, 17 Jahre)

Lars hätte gerne eine Internetschule, weil er dann … aufstehen müsste und weil er beim Lernen …

Eine Schule ohne Lehrer und ohne Mitschüler kann ich mir überhaupt nicht vorstellen. Dann müsste ich ja den ganzen Tag alleine an meinem Schreibtisch vor meinem Computer sitzen und lernen. Das finde ich zu langweilig. Ich gehe morgens doch nicht in die Schule, weil ich mich so auf die Matheaufgaben freue, sondern weil ich weiß, dass meine Freundinnen auch kommen. Meine Freundinnen sind das Beste an der Schule, deshalb finde ich eine Schule übers Internet schrecklich. (Bea, 18 Jahre)

Bea kann sich …, weil sie nicht …, … sondern …

7 Was kann man machen lassen?

a Zwei Bedeutungen von *lassen*. Lies die Beispielsätze und ordne zu.

lassen 1: Lassen Sie mich bitte ausreden.	**lassen 2:** Er lässt ihn die Tasche tragen.
= Erlauben Sie mir bitte auszureden.	= Er macht es nicht selbst.

1 _____   _____

1. Meine Mutter lässt mich abends ausgehen, mein Vater ist viel strenger.
2. Ich gehe heute zum Friseur und lasse mir die Haare schneiden.
3. Mein Fahrrad ist kaputt, das bringe ich zur Werkstatt und lasse es reparieren.
4. Deine neue Kappe gefällt mir. Lass sie mich mal aufsetzen.
5. Ich würde gerne meinen Bruder die Matheaufgaben machen lassen, aber der macht das nicht.
6. Lass bitte die anderen ausreden.

b Schreib die Sätze im Perfekt.

1. Gestern: Marco / sein Fahrrad / reparieren lassen / .
2. Letzte Woche: meine Mutter / mich / nicht / ausgehen lassen / .
3. Vor einem Monat: ich / mir / die Haare / schneiden lassen / .
4. Warum / du / mich / nicht / ausreden lassen / ?
5. Gestern: Katharina / ihre Freunde / die Hausaufgaben /abschreiben lassen / .

Gestern hat Marco sein Fahrrad reparieren lassen.

Über Materialien sprechen

Pullover sind oft aus Wolle.

Stühle können aus Holz, Metall oder Plastik sein.

Mit Steinwerkzeugen konnte man z. B. Holz bearbeiten und Fleisch schneiden.

Stein geht schnell kaputt. Heute haben wir Messer aus Metall und aus Kunststoff.

Kinderspielzeug war früher aus Holz. Heute ist es aus Plastik.

Im Auto gibt es viele verschiedene Materialien.

Die Karosserie ist aus Metall und Kunststoff.

Sagen, wie und vom wem etwas gemacht wird

Heute werden Kranke von Krankenpflegern gepflegt.

In Zukunft werden kranke Menschen von Robotern gepflegt.

Ich glaube, dass in Zukunft Handys nicht mehr gebraucht werden,
 weil wir alle einen Chip im Kopf haben.

Autos werden bald von Computern gefahren.

*Was???
Wir werden nicht mehr gebraucht?
Das kann ich nicht glauben!!
Es gibt kein Leben
ohne Smartphone.*

Eine Diskussion führen (Diskussionsleitung)

Unsere Diskussion heute hat das Thema …

Ich möchte zuerst die Gruppe 1 bitten, ihre Meinung zu sagen.

Dieses Argument ist jetzt schon mehrmals gekommen.

Wir müssen jetzt zum Schluss kommen.

Zusammenfassend möchte ich sagen, dass …

Außerdem kannst du …

… einen Text über die Geschichte der Roboter verstehen.

… einen Leserbrief schreiben.

Grammatik   **kurz und bündig**

Passiv: *werden* + Partizip II

	Position 2		Ende
Jetzt	werden	Roboter in vielen Industriezweigen	eingesetzt.
Der erste Roboter	wurde	im 18./19. Jahrhundert	konstruiert.
Heute	werden	manchmal schon Menschen von Robotern	operiert.

lassen + Akkusativ (+ Akkusativ) + Infinitiv

Sie **lässt** ihren persönlichen Roboter die Tasche tragen.

Ich **lasse** das Fahrrad reparieren.

Ich **lasse** ihn das Fahrrad reparieren.

Er **lässt** mich nie ausreden.

Verb *lassen*	
ich	lasse
du	lässt
er/es/sie/man	lässt
wir	lassen
ihr	lasst
sie/Sie	lassen

lassen im Perfekt

Er **hat** letzte Woche sein Fahrrad reparieren **lassen**.

1 Konflikte

a Wie heißt das Verb? Ergänze die Tabelle.

	Infinitiv	3. Person		
		Präsens	Präteritum	Perfekt
der Vorwurf	jmd. etw. vorwerfen	er wirft ihr ... vor		
der Streit				
die Behauptung				

41 **b** Hör zu. Ordne die unfreundlichen Äußerungen den freundlichen (a–c) zu.

_____ a) Bitte verlasse diesen Platz.

_____ b) Bitte sprich nicht weiter.

⊕ _____ c) Ich finde es nicht vernünftig, was du sagst.

2 Das ist nicht mein Problem, das ist deins!

a Ergänze die Pronomen *ein-, kein-, mein- ...*

1. Das ist nicht dein _____, das ist

   m _____!

   Das gehört alles mir!

2. Das ist nicht deine _____, das ist _____!

3. Das sind nicht deine _____, das sind _____!

4. Das ist nicht dein _____, das ist _____!

5. Ich brauche einen _____, ich habe _keinen_,

   ich habe _ihn_ vergessen.

   Ich habe alles zu Hause vergessen!

6. Ich brauche ein _____, ich habe _____, ich habe _____

   vergessen.

7. Ich brauche _____, ich habe _____, ich habe _____

   vergessen.

8. Ich brauche eine _____, ich habe _____, ich habe _____

   vergessen.

b In der Pause – Ergänze die Pronomen.

Ich hätte gerne eine Banane, hast du _____?

Ich hätte gerne einen Apfel, hast du _____?

Ich hätte gerne ein Brot, hast du _____?

⊕ Ich hätte gerne Süßigkeiten, hast du _____?

3 Konflikte eskalieren oder beruhigen

a Wiederholung Komparativ und Superlativ. Mach eine Tabelle im Heft.

laut – stark – schwach – selbstbewusst – viel – gut – gern – hoch

	Komparativ	Superlativ
laut	lauter	am lautesten

b Schreib die Sätze.

1. Je / selbstbewusst / man / sein / , desto wenig / man / streiten / .

   Je selbstbewusster man ist, desto weniger

2. Je / groß / Streit / sein / , desto lang / es, / dauern / bis man sich wieder gut versteht / .

   _____

3. Je / teuer / Auto / sein, / desto bequem / es / sein / .

   _____

4. Je / hoch / Turm / sein / , desto weit / sehen / können / man / .

   _____

c Ergänze die _je_-Sätze (1–4) und die _desto_-Sätze (5–8). Vergleiche in der Klasse.

1. Je mehr Freunde man hat, _____

2. Je schneller das Auto fährt, _____

3. Je größer die Stadt ist, _____

4. Je mehr man lernt, _____

5. _____ , desto mehr braucht man davon.

6. _____ , desto länger möchte man bleiben.

7. _____ , desto teurere Autos kann man fahren.

8. _____ , desto größer wird der Streit.

> _Je später der Abend,_
> _desto netter die Gäste._

4 Mediatoren in der Schule

a Was passt nicht? Streiche das Wort durch.

1. Konflikte   erkennen – lösen – behandeln – ~~beschäftigen~~

2. Gesprächstechniken üben – kennenlernen – betreuen – trainieren

3. Hintergründe   erfragen – schlichten – erklären – beschreiben

4. behandeln   einen Patienten – ein Auto – ein Problem – ein Thema

5. erkennen   ein Problem – einen Konflikt – einen Menschen – die Schweigepflicht

b Schreib die Sätze mit _nicht/kein-_ ... _brauchen_ + Infinitiv mit _zu_.

> _Es ist nicht nötig, dass ..._

1. (_... ihr Angst habt._)   _Ihr braucht keine Angst zu haben._ _____

2. (_... ihr zum Klassen-_   _Ihr braucht nicht_ _____ .
     lehrer geht.)

3. (_... er für die Klassen-_   _____ .
     arbeit übt.)

4. (_... sie morgen zur_   _____ .
     Schule kommen.)

5. (_... du Bücher_   _____ .
     mitbringst.)

5 Regeln für eine Mediation

Ordne 1–5 und a–e zu.

1. Zuerst erklärt der Mediator, _____ a) den Konflikt zu verstehen.

2. Die Konfliktparteien _____ b) formuliert und unterschrieben.

3. Der Mediator muss versuchen, _____ c) wie eine Mediation funktioniert.

4. Die Teilnehmer versuchen, _____ d) berichten, was ihr Problem ist.

➕ 5. Zum Schluss wird eine Vereinbarung _____ e) eine Lösung zu finden.

6 Interview

42 **Teil 1: Lina erzählt ein Beispiel für eine Mediation. Was ist das Problem?**

1. ☐ Die Mädchen beschweren sich über die Jungen.
   ☐ Die Jungen beschweren sich über die Mädchen.
2. ☐ Sie beschweren sich bei den Lehrern.
   ☐ Sie beschweren sich bei der Schülermediatorin.

Zeigt das Foto die Situation oder nicht?
Begründe deine Meinung schriftlich.

43 **Teil 2: Die Mediation. Hör zu und ergänze dann die Zusammenfassung.**

Am Anfang der Mediation werden immer die R_____ erklärt. Dann dürfen

alle sagen, wie sie die S_____ sehen. Die anderen dürfen nicht

u_____ . Man muss genau a_____, dass jeder zu Ende reden

kann, denn die Jungen und Mädchen sind sehr a_____. So werden die Hinter-

gründe des Konflikts deutlich.

In Annikas Beispiel war es so: Die Jungen dachten, dass die Mädchen mits_____

wollten. Die Mädchen dachten, dass die Jungen sie ä_____ wollten. Die Mädchen

waren auch nicht alle der gleichen M_____. Annika sagt, dass die Situation

ziemlich k_____ war. Aber dann haben sie gemeinsam eine

L_____ gefunden. Es ist ganz wichtig, dass keiner sich als

S_____ oder als V_____ fühlt. Zum Abschluss haben

sie einen V_____ gemacht und alle Jungen und Mädchen haben ihn

u_____ .

44 **Teil 3: Was macht Lina, wenn sie bei Problemen nicht helfen kann?**

Wenn ein Schüler / eine Schülerin mit einem schweren Problem zu ihr kommt, …

1. spricht sie mit dem Betreuungslehrer. ☐R ☐F

2. diskutiert sie längere Zeit mit dem Schüler / der Schülerin und findet
   normalerweise eine Lösung. ☐R ☐F

3. gibt sie dem Schüler / der Schülerin eine Adresse, wo er/sie Hilfe bekommen kann. ☐R ☐F

➕ 4. spricht sie mit den Freunden und Freundinnen des Schülers / der Schülerin. ☐R ☐F

Über Konflikte sprechen

Sie wirft ihrer Schwester vor, dass sie immer ihre Kleidung nimmt.

Sie streiten über Kleidung.

Er behauptet, dass die anderen nicht mithelfen.

Sie streiten miteinander, weil sie beide Sven gerne mögen.

Sie streiten um einen Jungen / ein Mädchen. Beide sind eifersüchtig.

Streitgespräche führen

Das darf doch nicht wahr sein, sag mal, ist das mein Handy?

Stell dich nicht so an.

Das ist doch nicht mein Problem, das ist deins.

Über Mediation diskutieren/sprechen

Ein Mediator / Eine Mediatorin muss gut zuhören können.

Er/Sie muss die Regeln erklären und dann die Diskussion leiten.

Er/Sie muss aufpassen, dass alle zu Wort kommen.

Die Teilnehmer dürfen sich nicht gegenseitig unterbrechen.

Sie müssen die Hintergründe des Konflikts erkennen.

Die Mediatoren helfen euch, eure Probleme zu lösen.

Ihr braucht keine Angst zu haben, dass die Mediatoren etwas weitererzählen.

Außerdem kannst du ...

… Texte und Aussagen über Mediation in der Schule verstehen.

Grammatik — kurz und bündig

Indefinitpronomen

	maskulin	neutral	feminin	Plural
Nominativ	einer	eins	eine	welche
	keiner	keins	keine	keine
Akkusativ	einen	eins	eine	welche
	keinen	keins	keine	keine
Dativ	einem	einem	einer	welchen
	keinem	keinem	keiner	keinen

Die Possessivpronomen *mein-/dein-* ... funktionieren wie *kein-*.

Ich habe zwei Hunde, **einer** ist schwarz und groß und **einer** ist klein und braun.

Das ist nicht dein Handy, das ist **meins**!

Ich brauche Stifte, hast du **welche?**

Je ... desto

Nebensatz	Hauptsatz
Je selbstbewusster man ist,	desto leichter setzt man sich durch.
	Position 1

Der *je*-Satz steht immer am Anfang.

1 Extremsport

a Schreib die passenden Verben zu den Nomen und Ausdrücken. Es gibt zum Teil mehrere Möglichkeiten.

arbeiten – beachten – fahren – gewinnen – haben – machen – springen – stürzen

1. Angst — *haben*
2. einen Bungeesprung — *machen, ~~springen~~ ~~stürzen~~*
3. im Team — *arbeiten ~~gewinnen~~*
4. Mut — *~~fahren~~ haben*
5. Regeln — *beachten,*
6. Selbstvertrauen — *haben, ~~gewinnen~~*
7. sich in die Tiefe — *stürzen*
8. Ski — *~~haben~~ fahren*
9. von einer Brücke — *springen*

b Was passt zusammen? Ordne zu. Es gibt mehrere Möglichkeiten.

1. Wenn man Bungeespringen macht, — *2*   a) darf keine Angst vor Wasser haben.
2. Wenn man Kanu fährt, — *1,3*   b) darf man keine Angst vor der Tiefe haben.
   — *3,4*   c) braucht man viel Konzentration und Kraft.
3. Wenn man Freeclimbing macht, — *4, 23*   d) braucht man sehr viel Kondition.
4. Wenn man Triathlon macht, — *1, 3*   e) hat man trotzdem meistens ein Sicherungsseil.

c Präposition bei. Schreib die Sätze aus 1b anders.

1. *Beim Bungeespringen darf man keine Angst vor der Tiefe haben.*
2.
3.
4.

d Zwei Pronomen als Ergänzung. Schreib die Antworten mit den richtigen Pronomen.

1. Kannst du Teresa die Regeln erklären? — *Ja, ich kann sie ihr erklären.*
2. Leihst du mir dein Fahrrad? — *Ja, ich leihe es dir.*
3. Hast du dir den Film angesehen? — *Ja, ich habe ihn mir angesehen*
4. Wird Ali Tina sein Smartphone verkaufen? — *Ja, er wird es ihr verkaufen*
5. Hast du Bila Freeclimbing beigebracht? — *Ja, ich habe es ihr beigebracht*
6. Zeigst du Kira deine Kletterausrüstung? — *Ja, ich zeige*
7. Kannst du mir Kanufahren beibringen?
8. Erklärt ihr Amir die Matheaufgaben?
9. Ruft ihr uns morgen an? — *Ja, wir rufen euch morgen an*

2 Interview

45 **a** Ergänze den Text. Bei jedem dritten Wort fehlt ungefähr die Hälfte. Hör zur Kontrolle.

● Was findest du am Freeclimbing besonders interessant?

■ Ich mag die Berge, die Natur und hatte auch schon mal ein bisschen Bergsteigen gemacht. Aber Freeclimbing ist etwas ganz anderes, da hat man keine technischen Hilfsmittel, das ist ganz direkt, nur der eigene Körper, mit dem kämpfe man. Dann fühl ich mich ganz frei, ganz direkt in Kontakt mit der Natur, nur der Berg und ich, das finde ich fantastisch. Ich will ausprobieren, was ich kann, und immer noch ein bisschen weitergehen. Dann bekommt man die ses Gefühl von Freiheit, von Glück.

b Ergänze *dafür, daran, darauf, damit, damit, davon*.

⬭ von dem Sport

1. Ich mache jetzt auch Kickboxen, weil mein Freund mir so viel _____ erzählt hat.

2. Tobi hat ihm von Snowboarden erzählt. Deshalb hat Cato auch _____ angefangen.

3. Sie machen Triathlon. Warum haben Sie sich _____ entschieden?
   Was interessiert Sie _____?

4. Obwohl er sich bei seinem Extremsport verletzt hat, will er nicht _____ aufhören.

➕ 5. Im nächsten Winter kann ich wieder Ski fahren. Ich freue mich schon _____.

3 Jemanden überzeugen

🎲 **a** Sag deine Meinung. Schreib die Sätze ins Heft.

1. Wenn ich einen interessanten Sport suchen würde, …
2. Wenn ich mich für einen Extremsport entscheiden müsste, …
3. Wenn mein Freund Bungeespringen machen wollte, …
4. Wenn ich viel Kondition hätte, …
5. Wenn ich viel Zeit hätte, …
6. Wenn ich mich langweilen würde, …

Wenn ich einen interessanten Sport suchen würde, würde ich auf keinen Fall einen Extremsport machen.

46 **b** Ergänze den Dialog mit den Sätzen a–e und hör zur Kontrolle.

● Hi, Sonja, ich kaufe mir ein Surfbrett.

■ [a]

● Quatsch, ich will doch nicht hier auf dem See windsurfen.

■ ☐

● Ich will surfen, am besten auf Hawaii.

■ ☐

● Ach, gefährlich, man muss es halt können.

■ ☐

● Man muss auch mal etwas riskieren. Da macht es erst richtig Spaß. Ich brauche diesen Kick.

■ ☐

➕ ● Immer denkst du so negativ. Man darf nicht immer das Schlimmste denken. Denk doch mal positiv. Stell dir vor, der Strand, die Sonne und dann eine riesige Welle! Voll cool.

a) Das finde ich gut, dann gehen wir hier zum See und ich kann schwimmen und du kannst windsurfen.

b) Du bist ja total verrückt. Für einen kurzen Kick brichst du dir dann die Beine – oder es passiert noch was Schlimmeres.

c) Aber du kannst es doch gar nicht. Ich habe Angst. Du wirst dich bestimmt verletzen.

d) Was willst du dann machen?

e) Da sind doch so riesig große Wellen, das ist doch viel zu gefährlich.

4 Interview mit Steffi Jones

Ergänze die Sätze mit Wörtern aus den Listen A und B im Schülerbuch auf Seite 84.

1. Die Aufgabe als Bundestrainerin ist eine große H*erausforderung* für Steffi Jones.
2. Zum Fußball gehören Verstand und Gefühl, Technik, Taktik und L*eidenschaft* .
3. Fast jeder gute Fußballer hat heute einen *Werbevertrag* mit einer Firma.
4. Leider gibt es Fans, die z. B. Fußballer mit dunkler Hautfarbe *diskriminieren* .
5. Es macht keinen *Unterschied* , ob Frauen oder Männer spielen. Der Fußball muss nur gut und spannend sein.
6. Heute haben die Männer viel mehr *respekt* vor den Fußballerinnen als früher.

5 Spaß haben

Schreib einen Blog-Text über Wochenendaktivitäten in deinem Land: Wie viel Zeit haben die Leute am Wochenende für sich selbst? Was sind die wichtigsten Aktivitäten? Wohin kann man fahren? Welche Sportarten sind beliebt? …

6 Sonntag

a Wann kann man in Deutschland einkaufen? Lies den Text und beantworte die Fragen.

> **i Ladenöffnungszeiten in Deutschland**
>
> In Deutschland sind die meisten Geschäfte an Sonn- und Feiertagen geschlossen. Früher waren die Geschäfte auch am Samstag ab 13 Uhr geschlossen. Heute dürfen alle Geschäfte montags bis samstags von 6 bis 22 Uhr geöffnet sein. Ausnahmen gibt es z. B. für Kioske, Geschäfte in Bahnhöfen oder Tankstellen. Die dürfen meistens länger öffnen. Viele Menschen, Politiker und Leiter von großen Geschäften wünschen sich noch längere Öffnungszeiten. Andere Menschen und insbesondere die Kirchen in Deutschland haben sich sehr dafür eingesetzt, dass die Geschäfte am Sonntag und an Feiertagen nicht öffnen dürfen.

1. Heute ist der 1. Mai, ein Feiertag. Du brauchst ein Geschenk. Wo kannst du es kaufen?
2. Es ist Samstagnachmittag, 14 Uhr. Du möchtest einkaufen gehen. Wo geht das?
3. Es ist Sonntag. Du brauchst für das Mittagessen unbedingt noch Öl. Wo kannst du es bekommen?
4. Heute ist der 1. Januar. Du hast heute viel Zeit und möchtest dir neue Schuhe kaufen. Geht das?

47–49 **b** Jugendliche am Sonntag – Was ist richtig? Hör zu und kreuze an.

1. Ana aus Chile, Gastschülerin in Deutschland:

a Ihr gefällt der Sonntag in Chile gut.

b Sie mag den Sonntagskuchen in Deutschland nicht.

c Sie findet gut, dass man am Sonntag viel machen kann.

2. Wanglang aus China, Gastschüler in Deutschland:

a Geht in Deutschland oft in Restaurants.

b Er spielt am Sonntag Fußball.

c Er macht gerne Ausflüge mit seiner Familie.

3. Hannes aus Deutschland:

a Er findet es nicht gut, dass am Sonntag nichts los ist.

b Er würde gerne mit seinen Eltern Ausflüge machen.

c Am Sonntagabend hat seine Familie Zeit, sich in Ruhe zu unterhalten.

Über Extremsport sprechen

Es ist wichtig, dass man beim Free Climbing sehr viel Kraft und Konzentration hat.

Bei vielen Extremsportarten muss man lernen, mit der Angst fertigzuwerden.

Beim Triathlon braucht man Kondition und darf nicht leicht aufgeben.

Beim Bungeespringen muss man viel Mut haben und ein bisschen verrückt sein.

Jemanden überzeugen

Du bist ja verrückt. Du solltest lieber eine andere Sportart machen.

Das finde ich nicht gut, weil es viel zu gefährlich ist.

Du könntest ja auch Fußball spielen oder joggen gehen.

Wenn du einen vernünftigeren Sport treiben würdest, müsste ich nicht so viel Angst haben.

Über Männer- und Frauensportarten sprechen

Gibt es heute noch Frauensportarten und Männersportarten?

Vielleicht gibt es noch welche, aber immer weniger.

Warum gibt es in der Formel 1 viele Fahrer und kaum Fahrerinnen?

Das weiß ich nicht. Vielleicht, weil es mehr Männer gibt, die sich für Technik interessieren.

Warum gibt es Synchronschwimmen bisher fast nur bei Frauen? – Keine Ahnung.

In welchen Sportarten kann man in gemischten Teams spielen?

Ich glaube im Tennis, aber ganz sicher bin ich nicht.

Über eine Grafik sprechen

Die Grafik zeigt, dass Mädchen etwas mehr im Internet chatten.

Jungen treiben mehr Sport als Mädchen.

Jungen lesen weniger als Mädchen.

Die meiste Zeit verbringen Jungen/Mädchen mit …

Am wenigsten Zeit haben sie für Politik und Soziales.

Ich kann mir nicht vorstellen, dass Jungen weniger ausgehen als Mädchen.

Ich weiß nicht, ob das stimmt.

Außerdem kannst du …

… Texte zu Extremsportarten verstehen.

… Interviews zum Thema „Sport" verstehen.

… eine Grafik verstehen.

Grammatik			**kurz und bündig**
Ergänzungen im Dativ und Akkusativ (Zusammenfassung)			
Akkusativ:	Birsen hat gestern **einen Bungeesprung** gemacht.		
Dativ:	Der Sprung hat ihr sehr gefallen.		
Dativ + Akkusativ:	Jetzt hat Omar seiner Freundin auch **einen Bunggeesprung** geschenkt.		

Zwei Pronomen als Ergänzungen			
Ich hatte	mir	**den Sprung**	nicht so toll vorgestellt.
Ich hatte	ihn	mir	langweiliger vorgestellt.
Freunde haben	ihr	**den Kurs**	geschenkt.
Sie haben	ihn	ihr	zum Geburtstag geschenkt.

Wenn beide Ergänzungen Personalpronomen sind, dann steht Akkusativ vor Dativ.

1 Das Parlament in der Schule

Lies die Sätze 1–12 und finde die Wörter im Silbenrätsel.

ähn   ant   be   Bun   de   ~~den~~

des   Di   ~~ent~~   er/in   er/in

kanz   Klas   kra   la   ler   ler/in

lich   men   ment   mit   mo

Par   Par   rek   ~~schei~~   Schü

sen   sprech   sprech   Stell   stim

ter/in   tion   tisch   tre   tung

tei   ver   Ver   wor

1. Wenn es Alternativen gibt, muss man ?, was getan werden soll.

2. So nennt man die Leitung von einer Schule oder auch von einer Firma: ?.

3. Der/Die ? vertritt die Interessen von der Klasse bei den Lehrern und bei Nr. 2.

4. Wenn Nr. 3 nicht da ist, dann übernimmt der/die ? seine/ihre Aufgabe.

5. Der/Die ? vertritt die Interessen von allen Schülern und Schülerinnen in einer Schule.

6. Eine politische Gruppe, die z. B. im deutschen Bundestag sitzt, nennt man ?.

7. Man diskutiert und die Mehrheit entscheidet, was gemacht werden soll. Das ist: ?. (Adjektiv)

8. Wenn man dafür sorgt, dass etwas gut funktioniert, dann übernimmt man ?.

9. Nicht genau gleich, aber auch nicht ganz anders: ?. (Adjektiv)

10. Wenn man etwas mit anderen zusammen entscheiden darf, dann darf man ?.

11. Der Chef / Die Chefin von der deutschen Regierung ist der/die ?.

12. Im ? wird die Politik diskutiert und es wird über Gesetze abgestimmt.

1. *entscheiden*

2. _____

3. _____

4. _____

5. _____

6. _____

7. _____

8. _____

9. _____

10. _____

11. _____

12. _____

Der Reichstag: Gebäude des deutschen Parlaments

Wahlplakate von politischen Parteien in Deutschland

2 Ein Informationstext in einer Schülerzeitung

Lies und ordne die Nebensätze 1–4 dem Text zu.

Neu an der Philipp-Reis-Schule?

Jedes Jahr kommen neue Schüler und Schülerinnen an unsere Schule. Die meisten natürlich in Klasse 5 (dieses Jahr 143). Dieses Jahr gab es aber auch insgesamt 57 neue Schüler in den oberen Klassen. Unsere Schule ist beliebt, ein herzliches Willkommen allen neuen Schülerinnen und Schülern! Ihr findet in dieser Rubrik wichtige Infos über unsere Schule. Schaut mal rein!

Frauke Dembir,
Verbindungslehrerin

1. wenn ihr ein Problem habt
2. euch zu engagieren
3. wo sie Ideen sammelt und Aktivitäten plant
4. die kreativ sind und Spaß haben

Heute: Die SV

Die SV ist die Schülervertretung. Bei uns an der Schule ist sie meistens sehr aktiv. Sie trifft sich im SV-Raum im 3. Stock, ▆. Frau Dembir, die Verbindungslehrerin, kommt auch oft dazu und unterstützt und berät die SV.

In den nächsten Wochen werden in allen Klassen die Klassensprecher*innen und ihre Vertreter*innen gewählt. Wenn ihr Lust habt, ▆, dann lasst euch wählen. Die SV braucht engagierte Leute, ▆, gemeinsam mit anderen Aktivitäten zu planen.

Denn die Klassensprecher*innen und ihre Stellvertreter*innen nehmen alle zwei Wochen an dem SV-Treffen teil. Dort werden aktuelle Themen und Probleme besprochen und die Veranstaltungen für das Schuljahr geplant.

▆, werden es die Klassensprecher*innen in die SV bringen. Dort versuchen alle gemeinsam, eine gute Lösung zu finden. Und natürlich plant die SV auch tolle Aktivitäten, der Höhepunkt ist das Sportfest im Mai.

Auch wenn ihr nicht Klassensprecher*in seid, könnt ihr gerne mal im SV-Raum vorbeischauen!

3 Wozu mache ich das?

a Schreib die Sätze mit *um ... zu*.

1. Wir müssen uns in dieser Woche treffen / das Schulfest vorbereiten
2. Die Klassensprecher nehmen an den Gremien teil / sich informieren und mitbestimmen
3. Ich möchte später Politiker werden / meine Ideen verwirklichen
4. Immer mehr Jugendliche arbeiten / Geld verdienen
5. Ich lese täglich die Zeitung / mich informieren
6. Ich kann mich nicht engagieren, ich muss mich auf das Lernen konzentrieren / das Abitur bestehen
7. Ich muss jetzt viel lernen / ein gutes Zeugnis bekommen
8. Maya war drei Monate in Deutschland / ihr Deutsch verbessern
9. Du musst mehr Sport machen / gesund bleiben
10. Rudi macht einen Kochkurs / kochen lernen

> *1. Wir müssen uns in dieser Woche treffen, um das Schulfest vorzubereiten.*

b Ein oder zwei Subjekte? Markiere und schreib dann Sätze mit *um ... zu* oder *damit*.

1. Im Sport muss man viel trainieren.   (Ziel): Man bekommt Kondition.
2. Luca trainiert fünfmal pro Woche.   (Ziel): Luca nimmt an einem Halbmarathon teil.
3. Meine Oma hat mir Geld geschenkt.   (Ziel): Ich kann den Kletterkurs machen.
4. Ich mache gerne Extremsportarten.   (Ziel): Ich habe das Gefühl von Freiheit.
5. Kannst du mit mir einen Trainingsplan machen?   (Ziel): Ich habe beim Wettkampf eine Chance.

> *1. Im Sport muss man viel trainieren, um ...*

4 Schülervertretungen

Ergänze den Text.

In Deutschland gibt es in jeder Klasse Klassensprecher. Sie werden vo_ den Schülerinnen und Schülern selbst gewä_ _ _. Bei uns in de_ Schule ist das and_ _ _ _. Wir haben auch i_ jeder Klasse Klassens_ _ _ _ _ _ _. Ab_ _ die Vertreter werden nic_ _ von den Schülern gewä_ _ _, sondern vom Klassenlehrer best_ _ _ _. Er entscheidet, we_ für diese Aufg_ _ _ geeignet ist. Der Schü_ _ _, der als Sprecher ausge_ _ _ _ _ wird, ist meistens se_ _ stolz darauf und stre_ _ _ sich sehr an, u_ seine Aufgabe gu_ zu machen. Bei de_ Aufgaben von Klassensprechern gi_ _ es Gemeinsamkeiten und Unters_ _ _ _ _ _ _. Eine Gemeinsamkeit is_, dass die Klassensprecher i_ Deutschland und bei un_ bei der Organisation vo_ Schulfest und von anderen Veransta_ _ _ _ _ _ _ helfen und die Mitar_ _ _ von den Schülern organi_ _ _ _ _ _. Ein Unterschied ist, da_ _ die Klassensprecher in Deutsc_ _ _ _ die Interessen von de_ Schülern gegenüber den Lehr_ _ _ und der Direktion vertr_ _ _ _. Bei uns ist da_ nicht ih_ _ Aufgabe. Wenn ich ei_ Problem mit einem Leh_ _ _ habe, dann spreche ic_ selbst mit dem Lehrer. Ic_ würde es nicht gu_ finden, wenn ein Mitsc_ _ _ _ _ für mich sprechen wür_ _. Ich glaube, dass ich meine eigenen Probleme besser selbst lösen kann.

5 Die Qual der Wahl

Ergänze die Wörter im Text.

Politik – Forderung – Wahlalter – Problem ist – antworteten darauf – geben nicht auf – ~~Regierung~~ – nichts anderes – brauchen

Regierung (1) **lehnt Wahlrechtsreform ab**

Regierungssprecher Funk lehnte heute vor der Presse die grüne _____ (2) nach einem niedrigeren _____ (3) von 16 Jahren ab. Für Deutschland wäre das die falsche _____ (4). „Es gibt heute viele Möglichkeiten für junge Leute, sich zu engagieren. Das _____ (5), dass die Jugend ihre Möglichkeiten nicht nutzt" – so Funk wörtlich. In einer Pressemitteilung _____ (6) die Grünen, dass man von der Regierung _____ (7) erwartet hat.

„Die Konservativen _____ (8) zehn Jahre, bis sie notwendige Reformen akzeptieren. Wir sind zwar ungeduldig, aber wir _____ (9)."

6 Diskussion: Sollten in einer SMV immer Jungen und Mädchen sein?

50–52 **a Hör die Aussagen von Celina, Abdul und Lukas und kreuze an: Wer ist dafür? Wer ist dagegen?**

| | dafür ☐ | | dafür ☐ | | dafür ☐ |
| dagegen ☐ | | dagegen ☐ | | dagegen ☐ |

Celina · Abdul · Lukas

b Hör noch einmal und kreuze an: R richtig oder F falsch.

1. Celina sagt, dass ein Schülersprecher seine eigenen Interessen vertreten sollte. R F
2. Abdul findet Unterschiede wichtig. R F
3. Lukas findet, dass eine politische Partei ein Vorbild für die Schülervertretung sein kann. R F

Über Mitbestimmung in Schulen sprechen

Schülermitverantwortung heißt, dass die Schülerinnen und Schüler Verantwortung für ihre Schule übernehmen.

Jede Klasse wählt einen Klassensprecher oder eine Klassensprecherin und die Stellvertretung.

Die Klassensprecher wählen den Schulsprecher oder die Schulsprecherin.

Den Zweck von etwas nennen

Die SMV macht eine Schülerzeitung, um die Schüler zu informieren.

Der Klassensprecher engagiert sich, um die Probleme in der Klasse zu lösen.

Ich muss viel lernen, um die Prüfung zu bestehen.

Rita macht Jogging, um fit zu bleiben.

Meinungen äußern und begründen

Viele Jugendliche haben (nicht) genug Erfahrung, um zu wählen.

Viele Erwachsene wissen nichts/etwas/genug über Politik.

Jugendliche unter 16 haben keine Ahnung von Politik, weil …

Kinder wissen auch nicht weniger als die meisten Erwachsenen.

Jugendliche wissen noch nicht, was sie wählen.

Jugendliche würden doch nur wie ihre Eltern wählen, denn …

Außerdem kannst du …

… Texte zum Thema „Schülervertretung" verstehen.

… ein Interview mit Schülervertretern verstehen.

… einen Vortrag über Politik in Deutschland, Österreich oder in der Schweiz halten.

Grammatik		**kurz und bündig**
Nebensätze mit *um … zu* und *damit*	WOZU?	
Die SMV macht eine Schülerzeitung,	**um** die Schüler	**zu** informieren.
Die Klassensprecher engagieren sich,	**um** die neuen Schüler	**zu** integrieren.
Die Schülersprecher treffen sich,	**um** das Sommerfest	vorzubereiten.

um … zu – damit

Wenn das Subjekt im Haupt- und Nebensatz gleich ist, verwendet man meistens *um … zu*.

Ich gebe Nachhilfeunterricht, **um** Geld **zu** verdienen.
(Ich gebe Nachhilfeunterricht, **damit** ich Geld verdiene.)

Wenn das Subjekt im Haupt- und Nebensatz **nicht** gleich ist, **muss** man *damit* verwenden.

Ich gebe Nachhilfeunterricht, **damit** mein Bruder
besser in Mathe wird.

Wozu trägst du denn eine Sonnenbrille, wenn die Sonne nicht scheint?

Um cooler auszusehen.

Echt?

Aussprache trainieren

1 Der Buchstabe *s*

53 **a** Hör zu und sprich nach.

1. Sieben Sachen suchen
2. Was ist das?
3. Das Wasser im Fluss ist nicht weiß.
4. Spiel und Sport im Stadion

– Das s am Silbenanfang spricht man weich: [z].
– Das s am Silbenende spricht man hart: [s].
– Doppel-s und ß spricht man immer hart: [s].
– sp und st am Wortanfang spricht man: „schp" [ʃp] und „scht" [ʃt].

54 **b** Welche *s* spricht man weich? Markiere. Hör zu und sprich nach.

Sonntag	das Glücksgefühl	der Lösungsweg
der Besuch	interessant	ausreden lassen
der Samstag	fasziniert	der Sieger

55 **c** Welche *s* spricht man als *sch*? Markiere. Hör zu und sprich nach.

der Spaß	Fußball spielen	der Strom
die Angst	der Samstag	sich verstecken
meistens	der Stress	

2 Fremdwörter mit nichtdeutscher Aussprache

56 Hör zu und sprich nach.

Science-Fiction – der Chip – der MP4-Player – Bungeespringen – Freeclimbing – River-Rafting

Wortschatz trainieren

3 Die Verben *können – wissen – kennen*

a Ergänze die Sätze mit dem richtigen Verb.

1. Ich _____, dass meine Schwester einen neuen Freund hat.

   Aber ich _____ ihn noch nicht.

2. ● _____ du Berlin?

   ■ Nein, aber ich _____, dass es da total cool ist.

3. ● _____ du mir bitte helfen?

   ■ Ja, aber ich _____ nicht, wie ich dir helfen soll.

b Auf einer Party – Ergänze den Dialog.

● _____ du, wer der Junge dort ist?

_____ du ihn?

■ Er heißt Tom. Ich _____ auch, wo er wohnt.

● Und _____ du, ob er eine Freundin hat?

■ Das _____ ich dir nicht sagen, aber

ich _____ seinen Bruder fragen.

Den _____ ich und der wird es

bestimmt _____ .

4 Freizeit und Hobbys

a Was passt zusammen?
Ordne zu und schreib je
einen Beispielsatz.

1. einen Film
2. in den Club
3. Musik
4. ein Buch
5. eine Ausstellung
6. eine Reise
7. eine Stadt

a) besichtigen
b) besuchen
c) anschauen
d) gehen
e) hören
f) lesen
g) machen

Wir wollen uns zusammen einen Film anschauen.

b Was passt zusammen?

Fußball – Musik – Fahrrad – Basketball –
Tischtennis – Ballett – Karten – Ski – Tennis –
Gitarre – einen Ausflug – Klavier

fahren
spielen
machen

Fahrrad fahren

5 Freizeit und Unterhaltung

Ergänze die Wörter in den Dialogen.

Eintrittskarten – Fernsehprogramm – Lust – Schauspielerin – spannend – Spaß – Reihe – Vorstellung

1. ● Hast du _____, ins Kino zu gehen?

   ■ Nein, ich habe noch so viel zu tun.

   ● Ach, komm doch mit, alleine macht es mir keinen _____.

2. ● Ich hätte gern zwei _____ für das Musical „Dogs".

   ■ Ich habe noch zwei Karten in der 9. _____.

   ● Ja, das ist gut. Wann beginnt denn die _____?

   ■ Um 20 Uhr 30.

3. ● Sollen wir heute Abend den Krimi sehen? Der ist bestimmt _____.

   ■ Ach, ich weiß nicht, gib mir doch mal das _____. Ich sehe lieber den Film
   mit Meryl Streep. Das ist eine fantastische _____.

6 Feste

Wie heißen die vier Feste?

Sil   Os   nacht

Weih   Fast   ten

ves   nach   ter

tern

_____   _____   _____   _____

1. Dieses Fest ist im Februar oder März. Es ist ein lustiges Fest. Die Kinder und auch viele Erwachsene verkleiden sich und machen Partys. In vielen Städten gibt es auf der Straße Umzüge.
2. Dieses Fest ist im März oder April. Es sind wichtige kirchliche Feiertage. Für die kleinen Kinder
   verstecken die Eltern Schokoladeneier und erzählen ihnen, dass ein Hase die Eier gebracht hat.
3. Das ist das wichtigste Fest in Deutschland. Es ist ein Familienfest. Die Familien treffen sich, essen
   gemeinsam und die Kinder und auch die Erwachsenen bekommen Geschenke.
4. Das ist der letzte Tag im Jahr. Viele Leute machen Partys und um Mitternacht gibt es ein
   Feuerwerk.

Strukturen trainieren

7 Wörter und Texte

Welche Wörter passen hier? Kreuze die richtige Lösung an: a , b **oder** c .

Liebe Nadja,

jetzt bin ich schon seit drei Tagen in Bremen und ich habe schon viel erlebt. Die Familie ist sehr nett zu mir. Man sagt, dass die Norddeutschen ein bisschen steif sind, (1) ich glaube, das ist falsch. (2) besser ich meinen Gastbruder Dennis kennenlerne, desto (3) finde ich ihn.

Am Donnerstag sind wir nach Bremerhaven gefahren. Das ist eine Stadt, die (4) Bremen gehört. Dort haben wir erst den Hafen besichtigt. Dann sind wir in ein riesiges Aquarium gegangen. Fantastisch! Ich habe (5) nicht so groß vorgestellt!

Mittags haben wir dann in einem tollen Schiffsrestaurant gegessen. Es heißt „Seute Deern". Man fühlt (6) wie auf einer Schiffsreise. Natürlich wurden Fischspezialitäten (7).

Am Samstag war ich mit Dennis in der Schule, (8) seine Freunde und die deutsche Schule kennenzuler-nen. Heute wollen wir eine Radtour nach Worpswede machen, (9) das Wetter nicht besonders gut ist. Meine Familie findet, dass das kein Problem ist, aber ich glaube, für mich ist es (10). Ich bin nicht so (11) dieses Wetter gewöhnt. Man kann in Norddeutschland wunderbar Rad fahren, weil es keine Berge gibt. Nur manchmal ist der Wind so stark, dass man gar nicht vorwärts kommt, aber wenn man mit dem Wind fährt, (12) man vom Wind vorwärts getrieben.

Ich würde dich gerne noch einmal wiedersehen, bevor wir zurückfliegen. Kann das klappen?

Schreib mir bald!

Dein Luis

1.	a denn	b aber	c sondern		7.	a serviert	b servieren	c servierten
2.	a viel	b je	c mehr		8.	a für	b um	c –
3.	a cooler	b cool	c coole		9.	a obwohl	b aber	c damit
4.	a zu	b an	c bei		10.	a eins	b einen	c ein
5.	a mir ihn	b es mir	c es		11.	a für	b auf	c an
6.	a –	b mich	c sich		12.	a wird	b ist	c hat

8 *Nicht* oder *kein* … ?

Ergänze.

1. ● Hast du _____ Tablet?

   ■ Nein, ich habe _____ genug Geld und meine Eltern wollen

   mir _____ Geld dafür geben.

2. ● Kannst du surfen?

   ■ Nein, ich habe zwar ein Surfbrett, aber ich kann _____ surfen.

   ● Kannst du mir dein Brett leihen? Ich habe nämlich _____ Surfbrett,

   aber ich kann surfen.

3. ● Kommst du mit ins Kino?

   ■ Tut mir leid, ich kann _____ , ich habe _____ Zeit.

4. ● Sollen wir essen gehen?

   ■ Nein, ich habe noch _____ Hunger.

   ● Aber später können wir _____ mehr essen gehen, dann ist die Kantine geschlossen.

9 Negationswörter

Ergänze die Sätze. Es gibt zum Teil zwei Möglichkeiten.

keiner – niemand – kein – nicht mehr – nie

1. Gestern wollten alle mit mir sprechen. Heute will _____ mit mir sprechen.

2. Heute kommt _____ interessanter Film im Fernsehen, aber gestern kam einer.

3. Gestern konnte ich das neue Lied spielen, heute kann ich es _____ _____ .

4. Mein Freund will immer in den Club gehen. Ich will fast _____ in den Club gehen.

5. Gestern ist jemand gekommen. Heute kommt _____ .

10 Das Datum

Ergänze die Endungen, wenn es notwendig ist.

● Wann kommst du?

■ Ich weiß noch nicht genau, wir bekommen am dritten Juli Ferien, dann fahre ich vom

sechs*ten*_____ bis zum vierzehn_____ zu meiner Tante. Vielleicht kann ich am

achtzehn_____ kommen. Ich könnte dann bis zum zwanzig_____ bleiben.

● Das würde gut passen. Am neunzehn_____ wird Karen 16 und macht eine Party.

Der neunzehn_____ ist ein Freitag.

11 Wechselpräpositionen

a Schreib die Sätze mit den Präpositionen zu den Bildern wie im Beispiel.

| **1** | **2** | **3** | **4** | **5** | **6** |
| auf | auf | in | in | an | an |

1. sitzen   *Die Katze sitzt auf dem Tisch.* _____

2. springen   _____

3. laufen   _____

4. liegen   _____

5. hängen/Ada _____

6. hängen   _____

b Ergänze die Sätze mit den passenden Präpositionen und Artikeln.

1. ● Ich gehe *in den*_____ Park. Kommst du mit? ■ Was gibt es _____ Park? (in)

2. Zeitungen kannst du in Deutschland _____ Kiosk kaufen. (an)

3. Gehen Sie _____ Haltestelle hier vorne. (an) Da fährt der Bus Nr. 5.

4. In vielen Ländern kann man Taxis _____ Straße anhalten. (auf)

5. In Deutschland kannst du nicht _____ Straße gehen und ein Taxi anhalten. (auf)

6. Gestern war ich _____ Club und heute gehe ich _____ Konzert. (in)

1 Abenteuerreisen

a Ergänze die Sätze mit den Verben in der richtigen Form.

(sich) auseinandersetzen (mit) – erzählen – gehören – kennenlernen – lieben – machen – sein – stehen – verbringen – vergeben

1. Bei meinem Projekt habe ich mich mit der Geschichte unserer Stadt _____ .

2. Ich habe die Erfahrung _____ , dass die Leute gerne über ihre Stadt sprechen.

3. Kemal hat seine Ferien in einem Sportcamp _____ .

4. Beim Austausch in Peru hat Siri das Land sehr gut _____ .

5. Als sie nach Hause kam, hatte Siri ihren Freunden viel zu _____ .

6. Unsere Schule _____ Stipendien für Berufspraktika in Deutschland.

7. Alle in meiner Klasse _____ sich einig, dass unser Ausflug super war.

8. Die Wanderung _____ zu meinen großartigsten Erfahrungen.

9. Senia _____ die Nähe zur Natur und macht gerne Kanu-Touren.

10. Für sie _____ der direkte Kontakt mit der Natur in Vordergrund.

b Lies die Aufgaben und dann die Reiseangebote. Welche Anzeige passt zu welcher Person?
Für eine Aufgabe gibt es keine Lösung.

1. ☐ Steffi ist 16. Sie möchte gern am Strand in der Sonne liegen und im Meer schwimmen.

2. ☐ Ralf ist sehr sportlich und will in den Ferien auch aktiv sein, aber er möchte nicht fliegen.

3. ☐ Dagmar mag Natur und fährt gerne Rad.

4. ☐ Niko möchte gern in den Ferien ein bisschen Geld verdienen.

5. ☐ Max will in den Sommerferien viele neue Leute kennenlernen und Spanisch sprechen.

A

Goldstrand in Bulgarien ist unser neues Reiseziel! Dich erwarten eine Mega-Partymeile mit vielen Clubs, ein perfektes Shopping-Zentrum mit tollen Geschäften und ein wunderschöner Strand.

Atmosphäre und Angebot sind im Hotel Blue Sky einfach super. Und bis zum Strand hast du nur 400 m, zum Zentrum mit Bars, Shops und Clubs sind es 500 m.

Was bieten wir an?
- Flug hin und zurück, Flughafentransfer bis zur Unterkunft
- 7 Übernachtungen mit Vollpension
- Jugendreiseleitung
Alter: ab 16 Jahren – Preis pro Person ab Euro 599,–

Mehr Infos

B

Wilde Tiere, reißende Flüsse und grüne Wälder: Willkommen in Schweden! Direkt am idyllischen Skagernsee liegt unser bekannter Naturclub.

Hier erlebst du Natur pur!
- An- und Abreise in modernen Fernreisebussen
- 9 Übernachtungen, Vollpension
- Jugendreiseleitung
- Lunchpaket für die Rückreise
Alter: ab 13 Jahren – Preis pro Person ab Euro 559,–
Jetzt buchen unter:
www.jugendreisebuero.de

C

Bike & Beach in Italien
22.07.–06.08.
16 bis 19 Jahre – Preis: 490 Euro
Flug ab Düsseldorf

Mit dem Rad durch Umbrien und dann Strandurlaub. Ein Rad, ein Zelt und ein paar Leute, mit denen man Spaß haben kann – mehr brauchst du nicht. Gekocht wird am Abend selber – das, was wir von den Märkten mitgebracht haben.
Mehr Infos unter: www.

D

Cala Regana, Mallorca (Spanien)
In nur 2½ Stunden landest du auf einer Trauminsel! Blauer Himmel, schönes Meer, Partyspaß, coole Orte und nette Leute. Unser Partyclub *El Dorado* ist ein großes Feriendorf, wo nur Jugendliche untergebracht sind – also ein Club exklusiv für dich. Hier kannst du die herrliche Küste bewundern und traumhafte Strände besuchen.

Flug mit 12 Übernachtungen und Vollpension an.
Alter: ab 18 Jahren – ab Euro 999,–
Mehr Infos unter: www.el

2 Ein faszinierender Urlaub mit blökenden Schafen

a Markiere in den Sätzen das Partizip I. Schreib Relativsätze.

1. Wandernde Schafhirten gibt es nur noch wenige.

   Schafhirten, die wandern, gibt es nur noch wenige.

2. Seit Jahren wächst die Zahl der alleinreisenden Touristen.

   _____

3. Im Workcamp habe ich gut Deutsch sprechende Jugendliche aus Frankreich getroffen.

   _____

4. Ein Mädchen aus Peru hatte einen Spanisch sprechenden Papagei dabei.

   _____

5. Ich habe von einer Reise auf einem fliegenden Teppich geträumt.

   _____

6. Wir haben die faszinierende Landschaft an der Nordsee kennengelernt.

   _____

b Formuliere die Relativsätze als Partizipien. Schreib ins Heft.

1. Die Touristen, die Englisch sprechen, haben es leichter.
2. Verkäufer, die gut beraten, verkaufen mehr.
3. Ich habe bei dem Verkäufer, der schimpfte, nichts gekauft.
4. Die Mannschaft, die im Moment führt, wird gewinnen.
5. Die Berlinreise ist ein Erlebnis, das bleibt.

> *Englisch sprechende Touristen …*

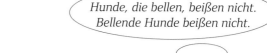

Hunde, die bellen, beißen nicht.
Bellende Hunde beißen nicht.

c Ergänze den Text.

Ich heiße Ron Brown, bin 21 Ja_____ alt u___ studiere zurz_____ in Berlin.
Ich b____ kein Pauschalu_____. Ich mö_____ auch ni_____
weit fah_____. Fliegen i___ auch ni_____ mein Di____. Ich möc_____
lieber fri_____ Luft ha_____ und vi___ Bewegung. I___ bin ge____ in
d___ Natur. Ich organ_____ meinen Url_____ selbst. Meine
Unter_____ ist meistens in ei_____ Jugendherberge od___ ich
überna_____ auf ei_____ Campingplatz. I___ würde ge____ eine
gr_____ Radtour mac____ oder wan_____. Vielleicht fa_____ ich im
näch_____ Jahr m___ meinem Fah_____ über d___ Alpen
na___ Italien.
We____ ich ni_____ mit d___ Fahrrad fa_____, dann fa_____ ich
ge___ mit d___ Bahn. F___ Jugendliche a____ dem nicht-europäischen
Aus_____ ist das billig, weil es den Eurail-Pass gibt.

d Wie möchtest du in der nächsten Zeit reisen? Schreib über dich. Rons Text hilft.
Berücksichtige folgende Punkte.
Reiseziele: wohin?/warum? – **Zeit:** wann? – **Reiseart:** wie?
Übernachtungen: wie?/wo? / wie teuer? – **Aktivitäten:** was?

3 Tonys Blog

a Ergänze die fehlenden Wörter im Text.

digitale – Diskussion – entspannt – Fahrkarte – Gegenteil – kaufen – kennengelernt – leer – nicht so gut – Problem – Schaffner – Smartphone – umgedreht – unterwegs – Zug

9.6.　Hi, ihr Lieben. Heute ist der 9. Juni. Jetzt bin ich schon zwei Wochen _____ (1). Und ich fühle mich überhaupt nicht einsam. Ganz im _____ (2)! Gerade gestern habe ich wieder tolle Leute _____ (3). Und das kam so. Ich saß gemütlich im _____ (4) nach Köln. Plötzlich höre ich hinter mir eine _____ (5) zwischen einem jungen Typen und dem _____ (6). Der Schaffner sagte: „Sie haben keine _____ (7). Sie müssen jetzt bei mir eine Fahrkarte _____ (8)." Der Typ konnte _____ (9) Deutsch, aber er zeigte immer auf sein _____ (10). Ich habe mich neugierig _____ (11) und ihn auf Englisch gefragt, was das _____ (12) ist. Der Akku von seinem Handy war _____ (13), so dass er seine _____ (14) Fahrkarte nicht zeigen konnte. Ich habe ihm dann mein Ladekabel gegeben und der Schaffner, der so grimmig geguckt hatte, hat sich _____ (15) und auch wieder gelächelt.

b Präpositionen: *außerhalb, innerhalb, während* – Ergänze die Sätze wie im Beispiel.

1. *Innerhalb der* _____ Fußgängerzone darf man nicht Fahrrad fahren.
2. Die Jugendherberge war _____ Stadt im Grünen.
3. _____ Unterrichts müssen alle Handys ausgeschaltet sein.
4. _____ Flughafens ist das Rauchen verboten.
5. Rauchen ist heute nur _____ Gebäude erlaubt.
6. _____ Konzerts hat Mila fünf WhatsApp geschrieben.

4 Alltag auf Reisen

57–61 **Du hörst fünf kurze Texte. Höre jeden Text zweimal. Zu jedem Text löst du zwei Aufgaben. Wähle zu jeder Aufgabe die richtige Lösung.**

Text 1　1. Die Person möchte zum Flughafen.　Richtig　Falsch

2. Die Person　a kann zu Fuß gehen.　b soll den Bus nehmen.　c will Taxi fahren.

Text 2　3. Der Zug nach Hamburg ist verspätet.　Richtig　Falsch

4. Nach Fahrplan war die Abfahrt um　a 6.49 Uhr.　b 15.25 Uhr.　c 16.49 Uhr.

Text 3　5. Morgen wird es sehr sonnig.　Richtig　Falsch

6. In den nächsten Tagen　a wird es kälter.　b ist es warm.　c regnet es dauernd.

Text 4　7. Die Bahn erhöht die Preise.　Richtig　Falsch

8. Man bekommt ein Hin- und Rückfahrtticket　a für 35 Euro.　b für 60 Euro.　c nur noch heute.

Text 5　9. Im Reisejournal gibt es Tipps für das Wochenende.　Richtig　Falsch

10. Das Hotel Seeblick hat ein Angebot　a von Freitag bis Sonntag.　b mit Halbpension.　c für 199 Euro.

Über besondere Urlaube sprechen

Meine Reise ist eine bleibende Erinnerung.

Es war eine prägende Erfahrung.

Wenn du nach Hause kommst, hast du viel zu erzählen.

Die Alpenüberquerung gehört zu den großartigsten Erlebnissen überhaupt.

Nicht die Leistung steht im Vordergrund, sondern die Nähe zur Natur und zu den Leuten.

So ein Urlaubsprojekt würde mich interessieren.

Ich würde auch gerne eine extreme Fahrradtour machen.

Ich brauche kein Abenteuer. Ich …

Ich finde organiserte „Abenteuerreisen" blöd. Ich möchte lieber …

Ein Reiseprogramm erstellen

Am ersten Tag fahren wir mit dem Bus nach Basel.

Wir wollen das Tinguely-Museum anschauen.

Und danach besichtigen wir die Altstadt.

Abends gehen wir in ein Konzert.

Wir übernachten auf einem Campingplatz außerhalb der Stadt.

Außerdem kannst du …

… Beiträge in einem Internetforum verstehen.

… einen Reiseblog kommentieren und schreiben.

… Alltagsprobleme auf Reisen lösen.

Grammatik · kurz und bündig

Präpositionen: *außerhalb/innerhalb, während* + Genitiv

Außerhalb unserer Stadt ist die Band noch nicht bekannt.

Innerhalb des Krankenhauses darf man häufig kein Handy benutzen.

Wir waren zwei Wochen an der Nordsee. **Während** dieser Zeit haben wir oft gejoggt.

Partizip I (Präsens aktiv)

Infinitiv	+ d + Endung	
bellen	+ d + Endung	Ein bellen**der** Hund beißt nicht.
kommen	+ d + Endung	Am kommen**den** Wochenende fahren wir nach Salzburg.

Das Partizip I vor dem Nomen hat die normalen Adjektivendungen.

Manche Partizipien werden so häufig gebraucht, dass sie als Adjektive im Wörterbuch stehen.

ein faszinierender Mensch

eine bleibende Erinnerung

Es ist schwer, bellende von beißenden Hunden zu unterscheiden.

1 Deutschland – Österreich – Schweiz

a Ergänze die Tabelle.

Land	Deutschland			dein Land
männliche Person			der Schweizer	
weibliche Person				
Sprache/n			Schweizerdeutsch Französisch Italienisch Rätoromanisch	
Adjektiv		österreichisch	Schweizer schweizerisch	

b Ergänze die Sätze.

1. Viele Deutsche essen Kartoffeln, aber trotzdem sind sie nicht typisch _____ .

2. Das ist ein Käse aus der Schweiz. Das ist ein _____ Käse.

3. Der Herr kommt aus Österreich. Er ist _____ .

4. Seine Frau kommt aus Deutschland, sie ist _____ .

5. Das Wiener Schnitzel ist eine _____ Spezialität.

c Passiv wiederholen. Schreib die Aussagen im Passiv.

1. In der Schweiz produziert man viel Käse.
2. In der Schweiz fährt man viel Ski.
3. In Österreich wandert man viel.
4. In Österreich kocht man viele Spezialitäten.
5. In Deutschland produziert man viel Energie aus Wind.
6. In Deutschland spielt man viel Fußball.

In der Schweiz wird …

d Lies den Text über Dialekte in Deutschland auf Seite 89 und beantworte die Fragen.

1. Welche Dialekte spricht man im Süden von Deutschland?
2. Welche Sprache wird in den Schulen gesprochen?
3. Wo spricht man Plattdeutsch?
4. Was bedeutet „Servus" und wo sagt man das?
5. Wo kann man eine „Schrippe" kaufen und was ist das?

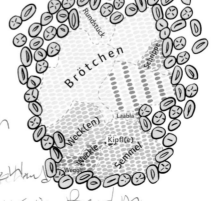

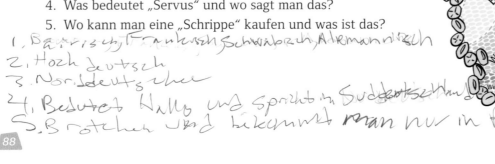

1. Bairisch, Fränkisch, Schwäbisch, Alemannisch
2. Hochdeutsch
3. Norddeutsche
4. Bedeutet Hallo und spricht in Süddeutschland
5. Brötchen und bekommt man nur in Berlin

Moin, Grüß Gott und Servus – Dialekte in Deutschland

In Norddeutschland spricht man anders als in Süddeutschland, im Osten anders als im Westen. Aber heute sprechen und verstehen fast alle Deutschen Hochdeutsch. Im Süden spricht man Bairisch, Fränkisch, Schwäbisch und Alemannisch. In der Mitte Pfälzisch, Hessisch, Thüringisch und

5 Sächsisch und im Norden die verschiedenen Formen von Plattdeutsch. Wenn ein Norddeutscher Plattdeutsch spricht, versteht ein Bayer „nur Bahnhof". Und umgekehrt: Wenn ein Bayer Bairisch spricht, verstehen die meisten anderen Deut-

10 schen „nur Chinesisch".

Durch Fernsehen und Radio hören aber alle immer Hochdeutsch und in der Schule wird meist Hochdeutsch gesprochen. Außerdem sind viele Menschen in Deutschland aus ihrer Dialektregion in eine andere umgezogen.

15 Deshalb gibt es immer weniger echte Dialektsprecher. Es bleiben nur Reste bei einigen Wörtern und es bleibt der „Ton". So sagt man im Norden zur Begrüßung „Moin", in Süddeutschland „Grüß Gott" und „Servus" und sonst meistens „Guten Tag" oder „Hallo". Für viele Essenswörter gibt es

20 auch Unterschiede zwischen den verschiedenen Regionen in Deutschland. Eine „Schrippe" bekommt man nur in Berlin, in Hamburg heißt dasselbe „Rundstück" und in Süddeutschland „Semmel". „Brötchen" versteht man in ganz Deutschland. Im „Ton", also in der Aussprache und in der Sprachmelodie, gibt es auch typische Merkmale. So erkennt man einen Hamburger ebenso wie einen Kölner oder einen Stuttgarter an der Art, wie er das

25 Hochdeutsche ausspricht. In Berlin und anderen deutschen Großstädten hört man vom Dialekt „gefärbte" Sprache aus allen Regionen Deutschlands.

62 **e** Eine Aussage auf Schwäbisch – Hör zu: Was hat er gesagt?

1. Wir kennen alles, auch Hochdeutsch. ☐
2. Wir können alles, außer Hochdeutsch. ☐
3. Wir kennen keine Hochdeutschen. ☐

2 Deutsch weltweit

a Suche zehn Wörter, die zur Wortfamilie „sprechen" gehören.

nachsprechen — die Muttersprache

sprechen

die Fremdsprache — die Aussprache — die Sprechstunde

b Ergänze die Sätze.

1. Das ist die Sprache, die ich von meinen Eltern gelernt habe. Es ist meine _____ .

2. Ich weiß nicht, wie man das Wort spricht. Ich kenne die _____ nicht.

3. Der Arzt behandelt von 9 bis 13 Uhr seine Patienten. Das ist seine _____ .

4. Diese Sprache habe ich in der Schule gelernt. Sie ist eine _____ für mich.

5. Der Lehrer spricht ein neues Wort vor, die Schüler _____ das Wort _____ .

3 Stereotype und Klischees

Witze über Schwaben, Sachsen und Ostfriesen. Ordne die Witzteile zu.

1. Wie fangen die schwäbischen
   Kochrezepte an?

2. Warum stellen Ostfriesen leere
   Wasserflaschen in den Kühlschrank?

3. Warum lächeln Ostfriesen immer,
   wenn es ein Gewitter gibt?

4. Große Hitze in der Stadt: „Muddie, mir isses so
   heeß!" Mutti, mir ist es so heiß!

_____ a) Es kann ja sein, dass mal jemand keinen
   Durst hat.

_____ b) Sie denken, sie würden fotografiert.

_____ c) „Schprich nich so säggsch, mei Junge!
   Das heißd nicht heeß. Heiß heeßds."
   Sprich nicht so sächsisch, mein Junge!
   Das heißt nicht „heeß". „Heiß" heißt es.

_____ d) Leihen Sie sich einen Kochtopf, …

4 _Miteinander, füreinander …_

a Ergänze.

1. Er setzt sich für sie ein und sie setzt sich für ihn ein.

   Sie setzen sich _____ ein.

2. Sie haben Vorurteile über ihre Nachbarn und die Nachbarn

   über sie. Sie haben _____

   Vorurteile.

3. Was denken sie über die anderen und was denken

   die anderen über sie? Was denken sie _____?

b Wie heißt das Nomen?

sich unterscheiden   sich ähneln   etwas gemeinsam haben

der _____   _____   _____

5 Eine Präsentation vorbereiten

a Wichtige Wörter und Formulierungen für eine Präsentation. Ordne zu.

In der Einleitung

1. Heute möchte/werde ich über …
2. Mich hat an diesem Thema besonders …
3. Ich habe meine Präsentation / mein Referat …
4. Zuerst möchte ich euch …
5. Dann komme …
6. Zum Schluss …

☐ a) in drei Teile geteilt …
☐ b) ich zu …
☐ c) möchte ich dann …
☐ d) sprechen.
☐ e) fasziniert (gereizt, interessiert), dass …
☐ f) etwas über … erzählen.

Im Hauptteil

1. Ein gutes Beispiel …
2. Bevor ich über … spreche, …
3. Für mich persönlich …

☐ a) ist besonders wichtig, dass …
☐ b) möchte ich kurz zusammenfassen.
☐ c) dafür ist …

Im Schluss

1. Damit bin ich am Ende …
2. Ich hoffe, es war …
3. Vielen Dank …

☐ a) für eure Aufmerksamkeit.
☐ b) meines Vortrages angekommen.
☐ c) interessant (hilfreich) für euch.

b Sammle weitere Redemittel für die drei Redeteile. Vergleicht in der Klasse.

Über typische Dinge in D–A–CH sprechen

… ist typisch für Deutschland/Österreich / die Schweiz.

Käsefondue ist eine Spezialität aus der Schweiz.

Ich habe gehört, dass alle Deutschen/Österreicher/Schweizer gerne dunkles Brot essen.

Dass alle Deutschen dunkles Brot mögen, ist ein Vorurteil.

Ich glaube, in Deutschland isst man viel Kartoffeln.

Nein, Käse gibt es nicht nur in der Schweiz, sondern auch in Österreich und in Deutschland.

Ich weiß nicht, ob wirklich alle Österreicher gerne Ski fahren.

Fleischpflanzerl sagt man in München zur Frikadelle, in Berlin sagt man Bulette.

Das Brötchen heißt in Berlin Schrippe und in München Semmel.

Auf Hochdeutsch sagt man „die Butter", in manchen Orten im Süden sagt man auch „der Butter".

Über Sprachen und ihre Verbreitung sprechen

Mehr als 100 Millionen Menschen sprechen Deutsch als Muttersprache.

Der größte Teil der deutschen Muttersprachler lebt in Deutschland.

In meinem Land spricht man drei Sprachen, aber nur eine Sprache ist die offizielle Sprache.

Meine Sprache wird auch in Südostasien gesprochen.

Über Stereotype sprechen

Manche behaupten, dass …

Das stimmt doch nicht. Ich habe andere Erfahrungen gemacht.

Das ist doch ein Vorurteil, nicht alle …

Außerdem kannst du …

… eine Präsentation zu einem landeskundlichen Thema vorbereiten.

… einige Dialektwörter verstehen.

Grammatik kurz und bündig

Präpositionen + *einander*

Wie denken die Schweizer **über** die Deutschen? Wie denken die Deutschen **über** die Schweizer?
Wie denken Schweizer, Österreicher und Deutsche übereinander?

Ich rede **mit** dir. Du redest **mit** mir.
Wir reden miteinander.

Das Wort *einander* kann man mit vielen Präpositionen verbinden. Hier einige Beispiele:

aneinander	füreinander	miteinander	untereinander
aufeinander	gegeneinander	nacheinander	voneinander
auseinander	hintereinander	nebeneinander	voreinander
beieinander	ineinander	übereinander	zueinander

Meine Familie ist sehr solidarisch. Wir halten zueinander.

Marina und Fred haben sich ineinander verliebt. Fred und Susi sind deshalb jetzt auseinander.

Wir haben noch bis spät in die Nacht beieinander gesessen und erzählt.

Es gab so viel, was wir voneinander nicht gewusst haben.

1 Schönheitsideale

a Mach eine Tabelle im Heft und ordne die Adjektive zu. Es gibt zum Teil mehrere Möglichkeiten.

attraktiv – blass – blond – dumm – fit – furchtbar – ganz gut – hässlich – hübsch – interessant – klein – normal – rund – selbstbewusst – schick – schlecht – schmal – süß – unsportlich – ungepflegt – wunderschön

positiv	neutral/sachlich	negativ
	ganz gut	

b Was denkst du über die beiden Männer? Schreib zu jedem Bild drei Sätze wie im Beispiel. Benutze Adjektive aus 1a und die Satzanfänge links.

Mir gefällt …
Er sieht … aus.
Ich finde …
Ich denke, dass …
Ich bin der Meinung, dass …
Meiner Meinung nach …

Mir gefällt der … Mann, weil er ein interessantes Gesicht hat. Ich finde … interessant. Ich denke, …

2 Über Porträts sprechen – Personenbeschreibung

a Ergänze die Adjektivendungen, wenn das notwendig ist.

Bei der Polizei

Polizist: Frau Kunze, Sie haben den Mann in der Bank gesehen, den wir suchen. Wie sah er aus?

Frau Kunze: Das war ein sehr attraktiv*er* Mann! Er war ungefähr 30 Jahre alt; 1,80 groß. Seine dunkl_____ Haare waren kurz_____ geschnitten. Auffällig waren seine groß_____, blau_____ Augen. In die könnte ich mich verlieben! Er trug eine groß_____ Brille. In seinem schön_____ Gesicht sah ich Freude und Ruhe. In dem link_____ Ohr hatte er einen klein_____ Ohrring. Er war schick_____ an-
gezogen: Er trug eine blau_____ Jeans und dazu ein grün_____ T-Shirt. Die grün_____ Farbe stand ihm gut! Und er trug auch blau_____ Sportschuhe, die zu der sportlich_____ Hose passten. Die Hose war bestimmt neu_____. Und er hatte zwei klein_____ Tattoos am recht_____ Arm.

Polizist: Gut. Noch etwas?

Frau Kunze: Ja! Wenn sie den nett_____ Mann finden, geben Sie ihm bitte meine neu_____ Telefonnummer.

b Wer passt zu der Beschreibung in 2a?

c Beschreib dich selbst in fünf Sätzen mit möglichst vielen Adjektiven.

3 Ein Fotoprojekt

63–67 **a** Schönheitswettbewerbe – Du hörst fünf Aussagen. Dazu sollst du fünf Aufgaben lösen.
Hör die Aussagen nur einmal. Lies zuerst die Aufgaben 1–5.

1. Die Schwester von der Sprecherin nimmt an Schönheitswettbewerben teil. R F
2. Die Sprecherin findet die Wettbewerbe nicht gut, aber sie hat nichts dagegen. R F
3. Der Sprecher meint, dass zu viel Geld für Kosmetik und Mode ausgegeben wird. R F
4. Der Sprecher findet es nicht gut, dass auch Männer heute Kosmetik benutzen. R F
5. Die Sprecherin sagt, dass man Schönheitsoperationen für Jugendliche verbieten sollte. R F

b Lies die Zeitungsnotiz und kreuze an: R richtig oder F falsch.

Schönheit über alles

Über das Thema „Schönheit" kann man streiten.
Aber als BMW im Jahre 1955 seinen neuen Roadster 507 präsentierte, waren alle Sportwagenfans
begeistert. Der BMW 507 zeigte vielen, wohin die
Reise gehen sollte: Auch wenn der Preis von über
26 000 D-Mark den Kauf des Traumwagens für den
größten Teil der Bevölkerung unmöglich machte –
Schauen kostete ja nichts.

Der schönste BMW-Roadster aller Zeiten

In Sachen automobiler Schönheit war Albrecht Graf Goertz, der den 507er-BMW gezeichnet
hat, der Beste. Der 507 orientierte sich an den Vorbildern aus den USA. Auf der Basis der 502er-
BMW bauten die Münchner Designer einen Wagen, der bis heute die Automobilwelt fasziniert.
Die Reichen der Welt liebten es, sich in dem offenen Auto dem Publikum zu präsentieren. Dabei
wurde der 507er nie so erfolgreich wie der Mercedes 300 SL, der allein als Roadster in Europa
und den USA rund 1800-mal verkauft wurde.
Wer in der heutigen Zeit einen von den 251 BMW 507 haben möchte, muss Glück und genug
Geld in der Tasche haben. Derzeit kosten die Roadster je nach Zustand über 600.000 Euro. Ein
richtig schönes Auto verkauft sich immer gut – egal, wie alt es ist.

---

1. In dem Text geht es um die Schönheit eines alten Autos. R F
2. Vor Kurzem präsentierte BMW den neuen 507. R F
3. Nicht jeder konnte das Auto kaufen, weil es sehr teuer war. R F
4. Die Idee dafür kam von amerikanischen Autos. R F
5. In Europa und in den USA hat BMW 1800 Autos verkauft. R F
6. BMW hat den 507 genauso gut verkauft wie Mercedes den 300 SL. R F
7. Heute gibt es nur noch weniger als 300 BMW 507. R F
8. Sie kosten sehr viel. R F

4 Die Farbe ist cool

Ergänze die Sätze mit der passenden Form von *derselbe, dieselbe, dasselbe*.

1. Max und Moritz lieben _____ Frau.

2. In dem anderen Laden kostet _____ Computer 100 € weniger.

3. Wir haben _____ Klassenlehrer wie im letzten Schuljahr.

4. Juliane will in _____ Stadt Urlaub machen wie ich.

5. Birsen und Malik besuchen am Nachmittag _____ Deutschkurs.

6. _____ Situation möchte ich nicht noch einmal erleben.

7. Sie trug _____ Kleid wie letztes Jahr.

8. _____ Mann habe ich vor einer Stunde an der Haltestelle gesehen.

5 Welche Größe tragen Sie?

68 **Du hörst sechs Aussagen eines Verkäufers. Ordne die Aussagen des Kunden zu.**

a) Nein, die ist mir leider zu kurz.   1 __*f*__

b) Haben Sie diese Jacke auch in Weiß?   2 _____

c) Kann ich den Rock umtauschen?   3 _____

d) Entschuldigung, wo ist die Anprobe?   4 _____

e) Nein, bar.   5 _____

f) Haben Sie diese Schuhe eine Nummer größer?   6 _____

6 Das finde ich schön

Im Forum einer Schülerzeitung gab es eine Diskussion zum Thema „Wie wichtig ist Schönheit?".
Dort standen folgende Meinungen:

> **Odine:** Es gibt sie, die absolute Schönheit. Etwas, das Menschen auf allen Kontinenten für schön halten. Es ist eine Landschaft: sanfte Hügel, weiter Blick, Berge am Horizont, Wasser. Man hat Kindern Fotos gezeigt und alle haben gleich reagiert.

> **Ebo:** Schönheit ist sicher nicht alles, aber es ist einfach so, dass schöne Menschen in der Gesellschaft große Vorteile haben. Das haben viele Untersuchungen bewiesen. Es lohnt sich also, sich um sein Aussehen zu kümmern.

> **Marga:** Irgendwie ist das alles verrückt. Heute wollen alle schön sein und gleichzeitig sind fast alle mit sich unzufrieden, weil sie glauben, dass sie nicht so gut aussehen wie andere. Ich finde, wir müssen lernen, viel entspannter mit dem Thema umzugehen.

> **Greg:** Natürlich ist Schönheit wichtig. Sie ist das Wichtigste überhaupt. Aber damit meine ich nicht, wie ein Mann oder eine Frau aussieht. Ich meine, dass wir uns um die Schönheit um uns herum kümmern müssen: um unser Zimmer, unsere Stadt, unsere Welt.

Schreib einen Leserbrief an die Schülerzeitung.
Bearbeite in deinem Brief die folgenden drei Punkte ausführlich.

– Gib die Meinungen der vier Schülerinnen und Schüler mit eigenen Worten wieder.

– Erzähle von Dingen oder Menschen, die du schön findest.

– Wie ist deine Meinung zu dem Thema? Begründe deine Meinung.

Personen beschreiben und die eigene Meinung begründen

Er/Sie ist ungefähr 25 Jahre alt.

Er/Sie trägt einen schicken Pullover, der ihm/ihr gut steht.

Auffällig sind seine/ihre hellen Augen.

Seine/Ihre Augen wirken toll.

Die Sonnenbrille steht ihm/ihr sehr gut.

Die Frau auf dem Foto sieht gut aus.

Mir gefällt sie, weil sie natürlich ist.

Beim Kleidungskauf beraten – im Kleidungsgeschäft

Willst du vielleicht dasselbe T-Shirt in Rot?

Gibt es dieselbe Bluse eine Nummer kleiner?

Haben Sie den Pullover in Größe M?

Der passt zu deinen Haaren.

Das steht dir gut.

Das ist doch nicht dein Stil!

Die Hose sitzt perfekt!

Der Schnitt gefällt mir, aber die Farbe steht dir nicht.

Welche Größe tragen Sie?

Passt Ihnen die Jacke?

Den Anzug haben wir nur in Grau.

Zahlen Sie bar oder mit Kreditkarte?

Umtauschen nur mit Kassenbon.

Außerdem kannst du ...

... Gespräche beim Kleidungskauf verstehen.

... einen Text zum Thema „Schönheit" anhand von Schlüsselwörtern wiedergeben.

Grammatik				kurz und bündig

Derselbe/dasselbe/dieselbe ...

	Singular			Plural
	maskulin	**neutral**	**feminin**	**n/n/f**
Nominativ	derselbe	dasselbe	dieselbe	dieselben
Akkusativ	denselben	dasselbe	dieselbe	dieselben
Dativ	demselben	demselben	derselben	denselben

Sie trägt denselben Rock wie gestern.

Er ist in derselben Stadt geboren wie ich.

Er hat dasselbe Fahrrad gekauft, nur nicht schwarz, sondern rot.

Dasselbe hast du doch schon.

1 Angebote

a Wie heißen die Adjektive zu diesen Nomen?

Kreativität _____	Offenheit _____
Flexibilität _____	Selbstständigkeit _____
Engagement _____	Teamfähigkeit _____
Freundlichkeit _____	Kommunikationsfähigkeit _____

b Welche Eigenschaften und Qualifikationen braucht man für die Berufe 1–6? Es gibt mehrere Möglichkeiten.

1. Sportjournalist/in
2. Fremdsprachensekretär/in
3. Altenpfleger/in
4. Architekt/in
5. Künstler/in
6. Autoverkäufer/in

Kreativität   gutes Gedächtnis   Teamfähigkeit   Offenheit
Pünktlichkeit   Selbstständigkeit   Mathematikkenntnisse
Flexibilität
gute Sprachkenntnisse   Engagement   Auslandserfahrung
Freundlichkeit   gute Rechtschreibkenntnisse   Talent für Technik
Kommunikationsfähigkeit

Sportjournalist/in: gutes Gedächtnis

c Eine Jugendorganisation sucht Reiseleiter*innen. Lies die Beschreibungen und löse die Aufgaben 1–3. Wen sollte sie zum Gespräch einladen? Warum?

Chien ist eine offene, fleißige und interessierte Schülerin. Sie macht ihre Aufgaben schnell und selbstständig. Ihre kreativen Ideen im Fach „Kunst" finden alle sehr gut. Sie interessiert sich für Sprachen. Sie ist engagiert, hat aber Probleme mit der Zeitplanung.	**Gafar** arbeitete zu Beginn des Schuljahres sehr aktiv mit, konnte sich dann aber nicht mehr richtig konzentrieren. Zu seinen Stärken gehören Sport, Geschichte und Erdkunde. Meistens ist er ein zuverlässiger und freundlicher Schüler.	**Tamara** zeigte im Unterricht großes Interesse und Engagement in den Fächern Mathematik und Physik. Auch in Biologie waren ihre Ergebnisse sehr gut. Bei Projekten, die sie interessieren, ist eine engagierte Mitarbeiterin, die viel zum Erfolg der Projekte beiträgt.

1. **Chien** sollte man zu einem Bewerbungsgespräch einladen, weil sie …

   a im Fach „Kunst" gute Ideen hat. b sich für Fremdsprachen interessiert. c ihre Zeit gut plant.
   Ihre Stärken sind Pünktlichkeit, Kreativität und Selbstständigkeit. R F

2. **Gafar** sollte auch kommen, weil er in _____ und _____

   gut ist. Man muss ihn aber fragen, warum er sich ab und zu nicht _____ kann.

3. **Tamara** interessiert sich für alles. R F

   Sie sollte Naturwissenschaftlerin werden, weil _____ .

d Lies die Anzeigen und beantworte die Fragen.

A

Babysitter/in gesucht!

Für unseren dreijährigen, sehr aktiven Kleinen suchen wir ab sofort für zweimal wöchentlich abends (ca. 18–20 Uhr) jemanden, der auf ihn aufpasst.
Du solltest viel Energie mitbringen, gerne spielen, dich durchsetzen können und über 16 Jahre sein.

Wir freuen uns auf eine Nachricht von dir!
Anja & Leonard Steiner
anjaundleonard@gxm.net / 0145 7856092

Wer sucht wen?
Wann ist die Arbeit?
Was erwartet man?

B

Babysitting

Sie wollen abends ins Kino gehen und suchen jemanden, der sich um Ihre Kinder kümmert? Dann bin ich die Richtige für Sie! Mein Name ist Sabine, 17 Jahre. Ich bin Schülerin und möchte gerne ein bisschen Geld verdienen. Ich habe viel Erfahrung mit Kindern und viel Liebe für Ihre Kleinen. Ich würde mich sehr freuen, wenn Sie sich melden würden!

Mit freundlichen Grüßen, Sabine Kling

Kontakt: 0136 694284
E-Mail: sabinekling@mail.net

Wer sucht was?
Welche Eigenschaften/Qualifikationen hat sie?
Warum will sie arbeiten?

e Adjektivdeklination ohne Artikel. Ergänze die Adjektivendungen in den Anzeigen.

1 Zuverlässig_____ Schülerin (17) sucht Putzstelle. Tel. 01601592034

2 10 fünfzehnjährig_____ Schüler für eine einstündig_____ Umfrage zum Thema Freizeit gesucht – 0143 898998.

3 Wir suchen |_____ Babysitter für unseren 2-jährigen Sohn. Di., Mi. + Fr. Tel. 04134/ 110091

4 Verkaufe fast neu_____ Moped, 7 Monate alt, Tel. 0173 970 5756

5 Suche günstig_____ Fahrrad Tel. 0169 7133750

6 Biete Englischnachhilfe in klein_____ Lerngruppe mit erfahren_____ Muttersprachlerin (040/8559616).

f Ausrisse aus Anzeigen – Ergänze die Sätze wie im Beispiel. Es gibt mehrere Möglichkeiten.
engagiert – gut – gut – interessant – ~~jung~~ – kreativ – lang – selbstständig – vollständig

1. Wir suchen *junge*_____ und _____ Personen, die sich für Technik interessieren.

2. Kauffrau mit _____ EXCEL-Kenntnissen und Spaß am Verkaufen.

3. Sehr _____ Französischkenntnisse wären von Vorteil.

4. Voraussetzung ist _____ Erfahrung bei der Arbeit mit Tieren.

5. Wir bieten _____ Gehalt und _____ Arbeit in _____ Team an. _____ Bewerbungsunterlagen schicken Sie an: Firma Sanset Plus, Weingarten.

2 Schriftliche Bewerbung

69–72 Du hörst vier Aussagen zum Thema „Bewerbung". Hör zu und kreuze an: R richtig oder F falsch.
1. Die schriftliche Bewerbung muss möglichst viele Informationen enthalten. R F
2. Die richtige Kleidung hängt von der Stelle ab, die man haben will. R F
3. Man sollte sich sprachlich auf das Bewerbungsgespräch vorbereiten. R F
4. Ohne Bewerbungstraining hat man keine Chance. R F

3 Bewerbungsschreiben

Welche Formulierungen passen inhaltlich in ein Bewerbungsschreiben? Kreuze an.

Ausbildungsstelle: Bürokauffrau

(1) Damen und Herren,

Ihre Anzeige in der „Lüneburger Post" (2). Sie bieten eine Ausbildung zur Bürokauffrau an.

(3) bewerbe ich mich für diese Stelle.

Für den Beruf der Bürokauffrau interessiere ich mich schon sehr lange. Ich denke, dass er (4). Ich bin höflich, freundlich und geduldig mit Menschen.

Ich (5), arbeite oft am Computer und in meiner Freizeit (6). Zu meinen Stärken gehören Offenheit und Selbstständigkeit. Ich (7) Deutsch und Englisch.

Zurzeit besuche ich die Lise-Meitner-Schule in Stuhr. Im Juli dieses Jahres werde ich die Schule (8).

(9), wenn Sie mich zu einem persönlichen Gespräch einladen würden.

(10)

Melanie Ortiz

1. a Sehr geehrte	b Hallo, meine	c Guten Tag, meine
2. a finde ich o.k.	b habe ich mit Interesse gelesen	c hat mir gut gefallen
3. a Hiermit	b Also	c Jetzt
4. a cool ist	b viel Geld bringt	c gut zu mir passt
5. a arbeite gern im Team	b liebe die Leute	c finde Menschen super
6. a chille ich gern	b bin ich ganz locker	c lese ich viel
7. a spreche gut	b habe nur wenige Probleme mit	c kann ein bisschen
8. a total vergessen	b endlich verlassen	c mit dem Abitur beenden
9. a Ich komme pünktlich	b Ich würde mich sehr freuen	c Ich sage nicht „Nein"
10. a Bis dann	b Tschüs	c Mit freundlichen Grüßen

4 Lebenslauf: Clemens Rehbein von „Milky Chance".

Lies den Text und notiere die Daten für einen tabellarischen Lebenslauf.

Clemens Rehbein, der Sänger des Duos „Milky Chance", kommt wie sein Bandkollege Philipp Dausch aus Kassel. Sein Geburtstag ist der 2. November 1992. Beide lernten sich in der 11.
5 Klasse kennen und besuchten gemeinsam den Leistungskurs Musik ihres Gymnasiums. Daraufhin gründeten sie die Band „Milky Chance". Rehbein galt nicht unbedingt als leidenschaftlicher Schüler, denn neben der Musik blieb nicht
10 viel Zeit. Aber 2012 machte er trotzdem sein Abitur an der Jakob-Grimm-Schule in Kassel. Danach jobbte Rehbein einen Sommer lang bei der ‚documenta', einer Ausstellung für zeitgenössische Kunst, die alle fünf Jahre in Kassel stattfindet und
15 insgesamt hundert Tage dauert.
Ihre ersten Musikaufnahmen machten Rehbein und Dausch im Haus von Rehbeins Eltern. 2013

20 produzierte „Milky Chance" ihr Debütalbum „Sadnecessary" und erreichten mit dem Titel „Stolen Dance" gleich Platz 2 der
25 deutschen Charts.
„Stolen Dance" wurde mehrfach mit Platin Schallplatten in Deutschland, USA, Australien und Kanada ausgezeichnet.
Das Album „Sadnecessary" bekam sechs Golde-
30 nen Schallplatten in Deutschland, Frankreich, Österreich, Schweiz, Kanada und Australien.
2014 spielten sie auch ihre erste Tournee in Nordamerika mit 28 ausverkauften Städten.

Geburtsdatum: 2.11.1992
Geburtsort:

Lebenslauf: persönliche Daten – Schulausbildung – Karriere …

Über Qualifikationen für eine Stelle sprechen

Ich bringe gute Computerkenntnisse mit.

Ich habe Erfahrungen bei … gemacht.

Ich bin gut in Mathe.

Zu meinen Stärken gehört meine Freundlichkeit.

Ich habe Interesse an …

Ich bin an … interessiert.

Ich wünsche mir / erwarte, dass …

Für mich sind … wichtig.

Über Erwartungen an eine Stelle sprechen

Ich bin kommunikativ/teamfähig/offen/flexibel …

Wir sind ein kreatives Team.

Wir suchen eine engagierte Praktikantin.

Eine Bewerbung schreiben

Anrede:	Sehr geehrte Damen und Herren,
Einleitung:	mit großem Interesse …
	Hiermit bewerbe ich mich für diese Stelle.
Hauptteil:	Zurzeit bin ich in der … Klasse.
	Ich habe aber schon ein Praktikum bei … gemacht.
Abschluss:	Ich würde mich sehr freuen, wenn ich mich persönlich vorstellen könnte.
Grußformel:	Mit freundlichen Grüßen
Anlagen:	Lebenslauf; Zeugnisse …

Eigenschaften beschreiben

Ich gehe gern mit Menschen um und lese in meiner Freizeit viel.

Zu meinen Stärken gehört auch die Fähigkeit, mich schnell in neue Bereiche einzuarbeiten.

Ich bin kreativ, teamfähig und offen.

Außerdem kannst du …

… Stellenanzeigen verstehen.

… einen Lebenslauf schreiben.

Grammatik   kurz und bündig

Adjektivdeklination ohne Artikel: Nominativ, Akkusativ, Dativ

Adjektive ohne Artikel haben den gleichen letzten Buchstaben wie die bestimmten Artikel.

Singular

	maskulin		neutral		feminin	
Nom.	der	engagierter Informatiker	das	kreatives Team	die	gute Kenntnis
Akk.	den	engagierten Informatiker	das	kreatives Team	die	gute Kenntnis
Dat.	dem	engagiertem Informatiker	dem	kreativem Team	der	guter Kenntnis

Plural

	maskulin/neutral/feminin	
Nom.	die	gute Informatiker/Teams/Kenntnisse
Akk.	die	gute Informatiker/Teams/Kenntnisse
Dat.	den	guten Informatikern/Teams/Kenntnissen

Aussprache trainieren

1 Der Buchstabe *v*

73 Hör zu und sprich nach.

1. Ich habe so viel vergessen!

2. Isst du gerne vegetarisch oder vegan?

Das *v* spricht man in den meisten Wörtern als [f].
In einigen Fremdwörtern spricht man das *v* als [w].

2 Die Buchstaben *d, b, g, s* und das *v* in einigen Adjektiven

74 **a** Hör zu und sprich nach.

1. Der attraktive Bewerber sieht glücklich aus.

2. Glaubst du, dass Erfolg und Fitness attraktiv machen?

1. Diese Buchstaben spricht man am Silbenanfang weich (stimmhaft).

2. Am Silbenende spricht man sie hart (stimmlos).

75 **b** Dasselbe Wort – eine andere Aussprache. Hör zu, vergleiche und sprich nach.

| das Land | er gibt mir | ein Tag | ein Glas | attraktiv |
| die Länder | ich gebe ihm | sieben Tage | zwei Gläser | ein attraktiver Mann |

3 Die Buchstaben *j* und *y*

76 Hör zu und sprich nach.

1. jedes Jahr, junge Leute
2. jobben

3. Yoga
4. typisch, das Symbol, das System
5. das Hobby, die Party
6. der Flyer, gestylt, die Blu-Ray

1. In deutschen Wörtern spricht man das j immer [j]
2. Bei Fremdwörtern spricht man das j oft so, wie es in der Sprache, aus der es kommt, gesprochen wird.
3. Vor einem Vokal spricht man das y oft wie ein j.
4. In vielen Wörtern spricht man das y wie ü.
5. In der Endung spricht man das y oft wie i.
6. Bei Fremdwörtern spricht man das y oft so, wie es in der Sprache, aus der es kommt, gesprochen wird.

Wortschatz trainieren

4 Wörter in Gruppen lernen

a Sortiere die Verben nach dem Ablauf der Reise. Schreib ins Heft.

1. Auto fahren
2. mit dem Zug fahren

3. mit dem Flugzeug fliegen

einsteigen – ankommen – tanken – losfahren – aussteigen – fahren
umsteigen – eine Reise planen – den Fahrplan lesen – eine Fahrkarte kaufen – ankommen – einsteigen – aussteigen
landen – einsteigen – abfliegen – ein Angebot im Internet suchen – einen Flug buchen – das Flugticket kaufen – aussteigen

b Was kann man nicht? – In jeder Reihe passen zwei Wörter nicht.

1. Wo kann man **nicht** übernachten?	Jugendherberge – Gästehaus – Hotel – Mehrbettzimmer – Nahrungsmittel – Campingplatz – Einzelzimmer – Pause
2. Was kann man **nicht** anziehen?	Hemd – Bluse – Stil – Jacke – Mantel – Schönheit – Strümpfe – Schuhe
3. Was kann man **nicht** essen?	Zwischenmahlzeit – Nachtisch – Mittagspause – Imbiss – Frühstück – Hähnchen – Löffel – Lebensmittel
4. Was kann man **nicht** buchen?	Flug – Hotel – Erfolg – Zimmer – Abitur – Ticket – Fahrkarte – Reise

5 Komposita

Finde die Wörter in den Komposita. Arbeite mit dem Wörterbuch. Vergleicht in der Klasse.

das Hilfsmittel   das Grenzerlebnis   das Glücksgefühl   das Krankenhaus

die Forschungsarbeit   die Waschmaschine   die Bratkartoffel   die Essensausgabe

das Schulmodell   der Krankentransport   die Amtssprache   der Industriezweig   die Sprachinsel

das Wildwasserfahren   die Sportanlage   die Reihenfolge   die Teilzeit   die Muttersprache

die Englischkenntnisse   der Gastgeber   das Surfbrett   die Kinderreitschule

die Bratkartoffel: braten, die Kartoffel

6 Bilder und Wörter

Eine Stadt – Schau dir das Bild an. Welche Wörter fallen dir dazu ein? Schreib sie in das Bild.

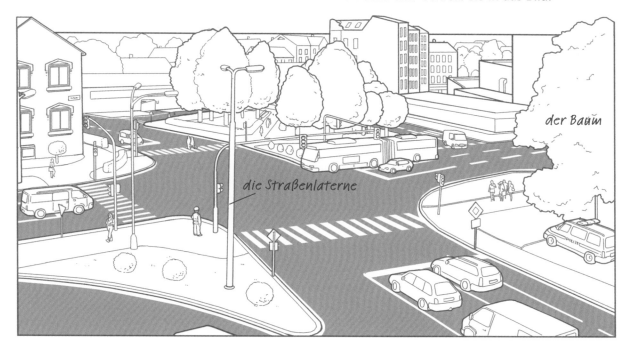

der Baum

die Straßenlaterne

7 Wege in der Stadt

Ordne die Sätze den Bildern zu.

a) geradeaus gehen   b) rechts abbiegen   c) links abbiegen   d) an der Kreuzung halten

e) über die Straße gehen   f) durch den Park gehen   g) in den Park gehen

h) auf der Kreuzung stehen

Strukturen trainieren

8 Wörter und Texte

Lies den Text und entscheide, welche Wörter
(A – O) in die Lücken passen.
Du kannst jedes Wort nur einmal verwenden.
Nicht alle Wörter passen in den Text.

INFODOM

Führendes Unternehmen der
Haushaltsinformationstechnologie
bietet 5 Praktikumsplätze für engagierte junge Leute
Zeitraum: 1. Mai bis 31. Oktober
Dauer: von 3 bis 12 Wochen
Interessiert?
www.infodom.de/praktikum

Bewerbung (1) ☐ einen Praktikumsplatz

Sehr geehrte Damen und Herren,
(2) ☐ diesem Schreiben möchte ich (3) ☐ bei Ihnen um einen Praktikums-
platz im kaufmännischen Bereich bewerben.
Ich gehe in (4) ☐ 11. Klasse der Ernst-Reuter-Schule in Paderborn. Meine
Lieblingsfächer sind Mathematik, Informatik und Wirtschaft. In meiner
Freizeit bastle ich gerne an meinem Computer und spiele Schach (5) ☐
Verein. Ich habe auch schon erfolgreich (6) ☐ Turnieren teilgenommen.
Ich würde gerne Ihren Betrieb kennenlernen, (7) ☐ Ihre Firma in der Region
führend im Bereich der Informationstechnologie ist. Ich möchte nach der
Schule Wirtschaftsinformatik studieren und würde (8) ☐ in den nächsten
Sommerferien die Praxis in einer Firma kennenlernen.
Die Sommerferien gehen vom 20. Juli (9) ☐ zum 31. August und ich
möchte in dieser Zeit ein dreiwöchiges Praktikum machen. Ich würde
mich sehr freuen, bei Ihnen mitarbeiten (10) ☐ können und hoffe auf Ihre
positive Antwort.

Mit freundlichen Grüßen
Axel Wegener

A	wenn
B	an
C	zu
D	um
E	weil
F	deshalb
G	denn
H	bis
I	gerne
J	der
K	mit
L	im
M	die
N	aber
O	mich

9 Relativpronomen

a Ergänze die Relativpronomen.

Das ist der Fotoapparat, _der_ 350 Euro kostet.

_____ ich mir gerne kaufen würde.

_____ man tolle Bilder machen kann.

Das ist die Hose, _____ Rosanna so gut steht.

_____ ich gestern im Kaufhaus gesehen habe.

_____ meine Bluse so gut passen würde.

Das ist das Handy, _____ ganz neu auf dem Markt ist.

_____ ich mir leider noch nicht leisten kann.

_____ ich jetzt jobben gehe.

Das sind meine Freunde, _____ alles für mich tun.

_____ ich jedes Wochenende treffe.

_____ ich vertrauen kann und _____ ich immer helfe.

_____ ich eine Weltreise machen will.

das   den
denen
das   der
denen   die
für das
die
mit denen
die
mit dem
die   zu der

b Ergänze die Relativpronomen und, wenn nötig, die Präpositionen.

1. ● Ist Herr Meier der Lehrer, *der* ____ neu an der Schule ist

   und _____ du Mathe hast?

   ■ Nein, das ist Herr Maier, mit ai. Herr Meier mit ei ist der

   Kunstlehrer, *mit dem* die 10. Klasse nach Italien gefahren

   ist und _____ sie erzählt haben, dass er so witzig ist.

2. ● Wer ist Frau Schneider?

   ■ Das ist die, _____ sich den Hund gekauft hat,

   _____ sie jeden Tag spazieren geht und _____

   sie so stolz ist.

3. ● Kennst du die Zimmermanns?

   ■ Ja, das sind die Nachbarn, _____ über Fleischmanns wohnen und

   _____ Fleischmanns immer Streit haben. Das sind die, _____ der rote Porsche

   gehört, _____ vor dem Haus steht.

---

10 Temporale Präpositionen

a Wähle die richtige Präposition.

1. am – im – vom   Hoffentlich schneit es _____ Samstag.
2. vor – von – seit   _____ drei Jahren lerne ich Deutsch.
3. in – ab – bis   Ich gehe einkaufen und bin _____ einer Stunde zurück.
4. um – nach – vor   Erst _____ der Schule können wir schwimmen gehen.
5. von – bis – bei   _____ Montag müssen wir drei Seiten auswendig lernen.
6. am – im – vom   _____ Winter bin ich am liebsten in den Bergen.
7. bis – in – vor   Hast du dir die Hände _____ dem Essen gewaschen?
8. über – um – in   Gestern bin ich _____ halb zwölf schlafen gegangen.
9. ab – seit – in   Du kannst mich morgen früh _____ 8 Uhr anrufen.
10. bis – bis zu – von   _____ jetzt hat Steffen noch nicht angerufen.

b Ergänze die Präpositionen im Text und, wo nötig, die Artikel.

am – am – Bis – für – im – im – in den – in dieser – nach der – um – vor

Liebe Diana,

_____ Wochenende hatten wir Besuch. Meine Tante aus Wien ist _____ drei Tage zu uns

gekommen. Sie kommt jedes Jahr _____ Frühling zu uns. Wir haben wie immer viel zusammen gemacht.

Wir waren viel unterwegs, deswegen habe ich deine Mail erst _____ Sonntag gelesen. Es war aber schon

spät und ich wollte dir nicht _____ ein Uhr nachts antworten. Ich war einfach zu müde. Ich finde deine

Idee toll, _____ Ferien ans Meer zu fahren. Und die Insel Rügen klingt interessant. Ich kann aber erst zwei

Wochen _____ dem Ferienbeginn fahren, weil ich _____ Juli noch meine Oma besuchen will. Bist

du sicher, dass man _____ Zeit ein Zimmer findet?

Wollen wir morgen Abend kurz _____ acht Uhr telefonieren?

_____ morgen!

Deine Evelyn

1 Geschichte in Europa

a Was passt zusammen? Ordne zu.

1. Die Nazis kamen
2. In den Konzentrationslagern
3. Im Zweiten Weltkrieg gab es
4. Von 1961 bis 1989 war
5. Von 1945 bis 1990 trennte
6. Das Grüne Band ist ein
7. Ein besonderes Stück Natur
8. Das Grüne Band soll vom Eismeer

a) über 50 Millionen Tote.
b) Berlin durch eine Mauer geteilt.
c) wurden Millionen Menschen ermordet.
d) bis zum Schwarzen Meer gehen.
e) wird zum historischen Denkmal.
f) 1933 an die Macht.
g) eine Grenze Ost- und Westeuropa.
h) ganz besonderes Umweltschutzprojekt.

b Lies den Werbetext zum Grünen Band und entscheide bei den Aufgaben 1–4, was im Text steht:
    a , b oder c .

Störche im Wendland

Salzwedl im Wendland

Das Wendland an der Elbe

Erlebnisregion Elbe-Altmark-Wendland

Etwa eine Stunde Bahnfahrt von Berlin und Hamburg liegt eine besondere Flusslandschaft. Die Elbe war hier lange Zeit die innerdeutsche Grenze und ist heute einer der letzten naturnahen Flüsse Europas. Sie gibt dem Land seinen
5 Rhythmus und formt mit den Wäldern und Wiesen an ihren Ufern einzigartige Naturparadiese. Eine Reise in die Region zwischen dem früheren Grenzfluss und der Stadt Salzwedel ist zu allen Jahreszeiten ein Erlebnis. Hier finden die Besucher Ruhe, Naturgenuss und faszinierende Eindrücke auf den
10 Spuren des *Grünen Bandes*.

Mit dem Frühjahr kommen Hunderte von Störchen aus dem Süden zurück in die Dörfer und die Wiesen am Fluss. An vielen Orten wird die jahrtausendealte Geschichte dieser Grenzregion lebendig. Bis in die Slawenzeit reicht die Geschichte
15 der Burg Lenzen, der Arendsee fasziniert mit seinen malerischen Ruinen des Klosters und der romanischen Kirche. Wer den Dreiklang aus Natur, Kultur und Geschichte am *Grünen Band* mit dem Fahrrad erleben will, der folgt dem Grenzradweg. Auf fast 200 km Länge verbindet dieser neue Rundweg
20 einmalige Naturschätze mit beeindruckenden Erinnerungen an die ehemalige Grenze und führt durch romantische Dörfer. Viele Besonderheiten lassen sich aber auch vom Wasser aus erleben, ganz bequem mit dem Schiff auf der Elbe oder aktiv mit dem Paddelboot auf einem der Nebenflüsse.

1. Die Region Elbe-Altmark-Wendland
   a liegt nicht weit weg von Hamburg.
   b ist ein Naturschutzpark.
   c hat Probleme mit Überschwemmungen.

2. Man kann die Region
   a vor allem im Frühjahr besuchen.
   b im Winter nicht besuchen.
   c das ganze Jahr gut besuchen.

3. Für Fahrradfahrer gibt es
   a viele Rundwege.
   b spannende Bergtouren.
   c einen 200 Kilometern langen Radweg.

4. Man kann in der Region
   a auch auf den Flüssen reisen.
   b gut essen gehen.
   c viele Museen besichtigen.

2 Vor der Vergangenheit: Plusquamperfekt

a Wiederholung: unregelmäßige Verben. Ergänze die Tabelle.

Infinitiv	Präsens (3. Person Sg.)	Präteritum	Perfekt
beginnen		*begann*	
erfinden			*hat erfunden*
geben			
gehen			
kommen			
sehen			
sterben			
verlassen			
verlieren			
wissen			

b Lies die Sätze. Was war zuerst? Markiere diese Information und schreib danach die Sätze mit Plusquamperfekt wie im Beispiel.

1. Die DDR wurde gegründet. <mark>Die BRD wurde gegründet.</mark>
   Nachdem die BRD gegründet worden war, wurde die DDR gegründet.

2. <mark>Zehntausende sind in den Westen geflüchtet.</mark> Die DDR-Regierung baute in Berlin eine Mauer.
   Nachdem Zehntausende _____

3. Viele Menschen haben an der Grenze ihr Leben verloren. Die DDR hat die Grenze geschlossen.

   _____

4. Am 9.11.1989 wurde die Grenze geöffnet. Elf Monate danach war Deutschland wieder **ein** Land.

   _____

5. Viele Menschen haben ihre Arbeit verloren. Die Wirtschaftskrise hat begonnen.

   _____

6. Man hat den elektrischen Strom entdeckt. Die Glühbirne wurde erfunden.

   _____

7. Ali durfte nicht mehr in den Club gehen. Ali hat drei schlechte Noten in Mathe geschrieben.

   _____

8. Ich habe mein Praktikum gemacht. Ich wusste, dass ich Biologie studieren wollte.

   _____

9. Ich habe die Hose umgetauscht. Sie hat meiner Freundin nicht gefallen.

   _____

10. Fred wollte von Susi nichts mehr wissen. Fred hat Marina kennengelernt.

   _____

3 Jugendliche und Geschichte – ein Quiz

Kennst du die Antworten zu den Quiz-Fragen? Du findest sie bestimmt im Internet.

1. Im Jahr 1914 begann

   a der Flugverkehr zwischen den USA und Europa.
   b der Erste Weltkrieg.
   c das erste Radioprogramm.

2. Die ersten regelmäßigen Fernsehsendungen gab es

   a 1936 bei der Olympiade in Berlin.
   b 1939 bei der Weltausstellung in New York.
   c 1929 in Tokio.

3. Im Jahr 1929 gab es eine große Weltwirtschaftskrise. Sie begann

   a in den USA.
   b in Deutschland.
   c in China.

4. Rock-Musik gibt es seit den

   a 30er Jahren des 20. Jh.
   b 50er Jahren des 20. Jh.
   c 70er Jahren des 20. Jh.

5. Computer für zu Hause gibt es seit etwa

   a 1960.
   b 1970.
   c 1980.

6. WWW bedeutet

   a Wer Will Was.
   b Welt-Weites-Wirken.
   c World Wide Web.

7. Wo wurde „MP3" erfunden?

   a Am MIT in Boston.
   b Am Frauenhofer-Institut in Erlangen.
   c Am CERN in Genf.

8. Das erste kommerzielle Mobiltelefon gab es

   a 1983 in den USA (Motorola).
   b 1993 in Finnland (Nokia).
   c 1995 in Tokio (Sony).

9. „9/11" ist die Abkürzung für

   a den Tag des Terroranschlags in New York (11. 9. 2001).
   b den Tag des Falls der Berliner Mauer (9. 11. 1989).
   c die Reichspogromnacht in Deutschland (9. 11. 1938).

4 Deutschland und mein Land

77–80 **a** Du hörst Aussagen von Jugendlichen aus vier Ländern. Ordne die Fotos zu.

Joel Iita, Namibia ☐   Haruka Sato, Japan ☐   Jim Brown, USA ☐   Renata Miskiewicz, Polen ☐

A   B   C   D

b Hör noch einmal. Zu welchen Personen passen die Sätze?

1. Viele Deutsche sind in mein Land eingewandert.
2. Wir haben eine schwierige Geschichte. Heute sind wir Partner in der EU.
3. Mein Land war eine deutsche Kolonie, dann eine südafrikanische. Seit 1989 sind wir unabhängig.
4. Wir lieben die deutsche Kultur. Deutschland ist ein sehr wichtiger Wirtschaftspartner.

Über geschichtliche Ereignisse sprechen

Der Zweite Weltkrieg begann 1939.

Nach dem Krieg wurde Deutschland geteilt.

Über Abläufe in der Vergangenheit sprechen

Als die Grenze weg war, sahen Naturschützer ihre Chance.

Nachdem die Mauer gefallen war, dauerte es noch elf Monate bis zur Wiedervereinigung.

Geschichtliche Ereignisse vergleichen

Deutschland war 40 Jahre geteilt, mein Land ist heute noch geteilt.

In Europa ging der Zweite Weltkrieg bis 1945, bei uns …

Bei uns ist die Terrorgefahr eine Problem. In Deutschland auch.

Außerdem kannst du …

… Texte zur Geschichte verstehen.

… ein Interview über Jugendliche und Geschichte verstehen.

Wir können wissen, was früher war, aber wir werden nie wissen, was in Zukunft sein wird.

Grammatik		**kurz und bündig**
Vor der Vergangenheit: Plusquamperfekt		
	Plusquamperfekt	Präteritum/Perfekt
Nachdem die Nazis an die Macht	gekommen waren,	begannen sie den Krieg.
Nachdem ich den Film im Kino	gesehen hatte,	habe ich mir das Buch gekauft.

Nebensätze: *nachdem*	
Hauptsatz	Nebensatz
Die Nazis begannen den Krieg,	nachdem sie an die Macht gekommen waren.
Ich habe mir das Buch gekauft,	nachdem ich den Film im Kino gesehen hatte.

Mit dem Plusquamperfekt zeigt man, dass in der Vergangenheit ein Ereignis vor einem anderen Ereignis passiert ist.

Überblick: Zeiten in der Vergangenheit	
Perfekt	Tarek hat ein Buch über die Geschichte Europas gelesen.
	Ich bin in Berlin ins Mauermuseum gegangen und habe viel über die deutsche Geschichte gelernt.
Präteritum	Bis in die 50er Jahre arbeitete man in Deutschland 48 Stunden in der Woche.
	Früher lasen die Leute mehr, heute sehen sie mehr fern.
Plusquamperfekt	Er hatte viel über Europa gelesen, bevor er zum ersten Mal dorthin reiste.
	Meine Eltern waren gerade in Deutschland angekommen, als die Mauer fiel.
	Nachdem sie Deutsch gelernt hatten, haben sie auch gute Jobs bekommen.

1 Den Krimi genau verstehen

a Lies Teil 1 (S. 122) noch einmal und such die passenden Ausdrücke.

1. Sie tanzen jeden Tanz. Sie *lassen keinen Tanz aus*.

2. Der Mann spricht autoritär. – Er spricht _____ .

3. Dann habe ich Probleme. Dann _____

   _____ _____ .

4. Es ist sehr wichtig, dass ich schnell weggehe.

   Ich _____ _____ _____ .

b Lies Teil 2 (S. 123) noch einmal und such die passenden Ausdrücke.

5. Es war mir sehr wichtig, dich wiederzusehen.

   Ich _____ _____ _____

   _____ .

6. Er hat gesagt, dass er sich rächen wollte.

   Er _____ _____ .

7. Keiner darf sich von mir trennen und die Beziehung

   beenden. Mich _____ _____

   _____ _____ .

8. Er ging aus Witzenhausen weg. – Er _____ _____ _____ .

c Lies Teil 3 (S. 124) noch einmal und such die passenden Ausdrücke.

9. Wir sind sicher, dass dein Mann kommt und wir brauchen

   ihn. Wir _____ _____ _____

   _____ .

10. Er ist nicht da. – Er _____ _____ .

11. Sie telefoniert mit vielen Leuten. Sie _____

    _____ .

12. Sie gehen nicht gerne in diese Gegend.

    Sie _____ _____ _____ .

d Lies Teil 4 (S. 125) noch einmal und suche die passenden Ausdrücke.

13. Sie denkt, dass sie in einem Märchen ist.

    Sie _____ _____ _____

    _____ .

14. Sie sieht auf die Kleinstadt, die gerade erwacht.

    Sie _____ _____ _____

    _____ .

15. Sie kann die ehemalige Grenze sehen. Die ehemalige

    Grenze _____ _____ .

16. Die Polizei ist an der Unglücksstelle. Die Polizei _____ _____

    _____ .

2 Ein kriminelles Rätsel

Ergänze das Rätsel. Wie heißt das senkrechte Lösungswort?

1. Ware illegal über eine Grenze bringen.
2. Wenn man ein Geheimnis von jemandem weiß und Geld oder etwas anderes will, damit man das Geheimnis niemandem sagt.
3. Von einer Gefahr oder einem gefährlichen Menschen weggehen.
4. Wenn etwas gegen das Gesetz ist, dann ist es … (Adjektiv).
5. Sagen, dass man jemandem etwas Schlechtes antun wird.
6. Man hat etwas falsch gemacht und wünscht sehr stark, dass es nicht passiert wäre.

	1	S			M					N						
					2	E									
			3	F				H				
4	U						L			H	
		5	D					N	
			6	B		R				N	

3 Vom Adjektiv zum Nomen

Ergänze wie im Beispiel.

kriminell
● Ich glaube, dass sie _etwas_ _Kriminelles_ vorhaben.

■ Nein, ich glaube, dass sie _nichts_ _Kriminelles_ machen wollen.

ungesetzlich
● Sie wollen bestimmt _etwas_ _____ tun.

■ Nein, ich denke, dass sie _nichts_ _____ vorhaben.

ungewöhnlich
● Vielleicht ist _____ _____ passiert.

■ Nein, ich glaube, dass _____ _____ passiert ist.

normal
● Es kann auch _____ _____ sein.

■ Nein, es ist bestimmt _____ _____ .

gefährlich
● Ich glaube, dass es _____ _____ ist.

■ Nein, ich denke, dass es _____ _____ ist.

4 Zeitungsmeldungen

a Lies die Zeitungsmeldungen und ergänze Wer? Wo? Was? Wie? in der Tabelle.

— Vermischtes —

Hameln. Bei einem Überfall auf eine Spielothek hat ein junger Mann rund 300 Euro Bargeld erbeutet. Er bedrohte eine Mitarbeiterin, leerte die Kasse und verschwand.
Der Täter wird wie folgt beschrieben: etwa 20 Jahre alt, 1,65 m groß, kurze, mittelblonde Haare. Wer Hinweise zu dem Überfall geben kann, soll sich bei der Polizei in Hameln unter der Telefonnummer 05151/933-222 melden.

Hamburg. Eine Bank in der Hamburger Innenstadt wurde Opfer eines Raubüberfalls. Der Täter, ein etwa 45 Jahre alter Mann, konnte mit seiner Beute entkommen, obwohl die Polizei auch einen Hubschrauber einsetzte. Über die Höhe der Beute wollte sich die Bank nicht äußern.

Stiegtal. Einbruch in Gymnasium. In der Nacht zu Sonntag wurde die Polizei zum Gymnasium am Wald gerufen, weil eine zerbrochene Fensterscheibe Einbruchsalarm ausgelöst hatte. Nach einer Durchsuchung des Schulgebäudes konnten die Einbrecher in der Schulkantine gefasst werden. Die Polizei schätzt den Schaden auf ca. 500 Euro.

	Wer?	Wo?	Was?	Wie?
Meldung 1				
Meldung 2				
Meldung 3				

81–83 **b** Hör die Radionachrichten und ergänze die neuen Informationen in der Tabelle.

5 Kriminaltango

a Sieh die Bilder auf Seite 111 an und kreuze an.

Die Geschichte spielt   [a] in einer Schule.
                        [b] in einer Bar.
                        [c] in einem Restaurant.

Es geht um   [a] eine romantische Liebesgeschichte.
                        [b] die Geschichte einer Musikgruppe.
                        [c] einen geheimnisvollen Mord.

b Ordne die Bilder den Liedteilen 1–5 zu.

1

Kriminaltango in der Taverne:
Dunkle Gestalten und rotes Licht.

2

Und sie tanzten einen Tango,
Jacky Brown und Baby Miller.
5 Und er sagt ihr leise:
„Baby, wenn ich austrink',
machst du dicht."

3

Dann bestellt er zwei Manhattan,
und dann kommt ein Herr mit Kneifer.
10 Jack trinkt aus und Baby zittert,
doch dann löscht sie schnell das Licht.

Kriminaltango in der Taverne:
Dunkle Gestalten, rote Laterne.
Abend für Abend lodert die Lunte,
15 sprühende Spannung liegt in der Luft.

Und sie tanzten einen Tango,
alle, die davon nichts ahnen.
Und sie fragen die Kapelle:
„Haben Sie nicht was Heißes da?"

20 Denn sie können ja nicht wissen,
was da zwischen Tag und Morgen,
in der nächtlichen Taverne –
bei dem Tango schon geschah.

4

Kriminal-Tango in der Taverne:
25 Dunkle Gestalten, rote Laterne.
Glühende Blicke, steigende Spannung –
Und in die Spannung, da fällt ein Schuss.

5

Und sie tanzten einen Tango,
Jacky Brown und Baby Miller.
30 Und die Kripo kann nichts finden,
was daran verdächtig wär'.

Nur der Herr, da mit dem Kneifer,
dem der Schuss im Dunkeln galt,
könnt' vielleicht noch etwas sagen –
35 doch der Herr, der sagt nichts mehr.

Kriminal-Tango in der Taverne:
Dunkle Gestalten, rote Laterne.
Abend für Abend immer das Gleiche,
denn dieser Tango – geht nie vorbei.

➕ Das Lied findest du im Internet. Suchwort: *Kriminaltango*.

KRIMINAL TANGO, Words by A. LOCATELLI, Music by P. TROMBETTA
Reprinted by kind permission of Hal Leonard MGB srl – Milano

Grammatik im Überblick

Was ist wo?

VERBEN IM PRÄSENS

Regelmäßige Verben

Infinitiv	lernen	arbeiten	heißen	sammeln
ich	lerne	arbeite	heiße	sammle
du	lernst	arbeitest	heißt	sammelst
er/es/sie/man	lernt	arbeitet	heißt	sammelt
wir	lernen	arbeiten	heißen	sammeln
ihr	lernt	arbeitet	heißt	sammelt
sie/Sie	lernen	arbeiten	heißen	sammeln

sein, haben, werden, wissen, „möchte" und mögen

Infinitiv	sein	haben	werden	wissen	„möchte"	mögen
ich	bin	habe	werde	weiß	möchte	mag
du	bist	hast	wirst	weißt	möchtest	magst
er/es/sie/man	ist	hat	wird	weiß	möchte	mag
wir	sind	haben	werden	wissen	möchten	mögen
ihr	seid	habt	werdet	wisst	möchtet	mögt
sie/Sie	sind	haben	werden	wissen	möchten	mögen

Verben mit Vokalwechsel

Vokalwechsel in der 2. und 3. Person Singular: e → i(e)

Infinitiv	geben	essen	lesen	nehmen	treffen
ich	gebe	esse	lese	nehme	treffe
du	gibst	isst	liest	nimmst	triffst
er/es/sie/man	gibt	isst	liest	nimmt	trifft

Ebenso: helfen, sprechen, empfehlen, befehlen, stehlen, sehen …

Vokalwechsel in der 2. und 3. Person Singular: a → ä

Infinitiv	fahren	lassen	schlafen	tragen	waschen
ich	fahre	lasse	schlafe	trage	wasche
du	fährst	lässt	schläfst	trägst	wäschst
er/es/sie/man	fährt	lässt	schläft	trägt	wäscht

Ebenso: fallen, gefallen, halten …

Eine Liste mit unregelmäßigen Verben findest du im Schülerbuch auf Seite 135–136.

Trennbare Verben

Verben mit diesen Vorsilben sind immer trennbar:

ab-	auf-	bei-	hin-	los-	nach-	vorbei-	zurück-
an-	aus-	ein-	her-	mit-	vor-	weg-	zu-

Der Wortakzent ist bei den trennbaren Verben immer auf der Vorsilbe:

aufstehen, sie steht auf, sie ist aufgestanden

	Position 2		Ende
Am Wochenende	steht	sie nie vor neun Uhr	auf.
Letzten Sonntag	ist	sie erst um zehn Uhr	aufgestanden.

Untrennbare Verben

Diese Vorsilben sind nie abtrennbar: be-, emp-, ent-, er-, ge-, ver-, zer-
Beispiele: bez<u>a</u>hlen, empf<u>e</u>hlen, entw<u>i</u>ckeln, erz<u>ä</u>hlen, gef<u>a</u>llen, geh<u>ö</u>ren, verk<u>au</u>fen

Der Wortakzent ist auf der zweiten Silbe.

Modalverben

Infinitiv	können	müssen	wollen	dürfen	sollen
ich	kann	muss	will	darf	soll
du	kannst	musst	willst	darfst	sollst
er/es/sie/man	kann	muss	will	darf	soll
wir	können	müssen	wollen	dürfen	sollen
ihr	könnt	müsst	wollt	dürft	sollt
sie/Sie	können	müssen	wollen	dürfen	sollen

Ich will in diesem Jahr die Prüfung machen, deswegen muss ich viel lernen.

Ich soll dir von Lisa sagen, dass sie morgen nicht kommen kann.

Das Verb *lassen*

lassen + Akkusativ (+ Akkusativ) + Infinitiv

● Machst du die Hausaufgaben selbst?
■ Nein, ich lasse meinen Bruder die Hausaufgaben für mich machen.
● Und was bekommt er dafür?
■ Ich lasse ihn mit meinem Fahrrad fahren.

Gebrauch

Bitte/Auftrag

● Reparierst du den Drucker selbst?
■ Nein, ich lasse ihn von Carsten reparieren.
(= Ich bitte Carsten, dass er den Drucker repariert. Er macht es für mich.)

Erlaubnis/Aufforderung

Lass mich (bitte) ausreden!
(= Erlaube mir, dass ich ausrede. / Ich will, dass du mich ausreden lässt.)
Mein Vater lässt mich heute nicht in den Club gehen.
(= Er erlaubt nicht, dass ich in den Club gehe.)

Verben mit unpersönlichem *es*

Einige Verben benutzt man mit dem unpersönlichen „*es*". Das „*es*" hat keine Bedeutung.

Wie geht es Annalisa?
Worum geht es in diesem Text?
Es gibt immer weniger sauberes Trinkwasser auf der Erde.
Der Wetterbericht sagt, dass es noch kälter wird.
Außerdem soll es noch regnen.

Wetterverben und Wetteradjektive mit *es*:

Es regnet.	Es schneit.	Es ist kalt.
Es ist warm.	Es ist windig.	Es wird kälter.

Reflexive Verben

Reflexivpronomen im Akkusativ

Ich freue **mich**.
Du wäschst **dich**.
Tom freut **sich** auch.

Reflexivpronomen im Dativ

Ich kaufe **mir** morgen einen neuen Computer.
Du wäschst **dir** die Hände.
Er kauft **sich** morgen ein Fahrrad.

	Akkusativ	Dativ
ich	mich	mir
du	dich	dir
er/es/sie/man	sich	sich
wir	uns	uns
ihr	euch	euch
sie/Sie	sich	sich

Akkusativ und Dativ unterscheiden sich nur in der 1. und 2. Person Singular.

Wichtige Verben mit Reflexivpronomen im Akkusativ:

sich ärgern über
sich engagieren für/gegen
sich entschuldigen für/bei
sich freuen auf/über
sich interessieren für
sich schminken
sich treffen
sich verabschieden
sich verlaufen
sich waschen

Wichtige Verben mit Reflexivpronomen im Dativ:

sich etwas anschauen
sich etwas bestellen
sich etwas kaufen
sich etwas merken
sich etwas vorstellen
sich etwas wünschen
sich Sorgen machen um

Verben mit Reflexivpronomen bilden das Perfekt immer mit haben: Ich habe mich verlaufen.

VERBEN IN DER VERGANGENHEIT

Verbformen: Partizip II

Regelmäßige Verben

machen	ge + mach + t	gefragt, gelernt, gespielt …
aufmachen	auf + ge + mach + t	eingekauft, abgeholt, mitgespielt …
bestellen	bestell + t	verkauft, erzählt, untersucht …
fotografieren	fotografier + t	studiert, interessiert, passiert …

Unregelmäßige Verben

schreiben	ge + schrieb + en	gekommen, gegangen, gefahren …
anfangen	an + ge + fang + en	mitgefahren, eingeschlafen, mitgenommen …
empfehlen	empfohl + en	begonnen, verstanden, gefallen …

Besondere Formen:

bringen – gebracht, denken – gedacht, kennen – gekannt, wissen – gewusst

Perfekt

Im Perfekt stehen die konjugierten Formen haben oder sein auf Position 2 und das Partizip II am Ende.

	Position 2		Ende (Partizip II)
Es	hat	in der letzten Zeit viel	geregnet.
Wann	hat	das Spiel	angefangen?
	Hat	dich Bio in der Schule	interessiert?
Mathe	habe	ich schon immer gut	gekonnt.
Wann	seid	ihr nach Basel	gefahren?
Manuel	ist	heute zu spät	gekommen.
Was	ist		passiert?
Ich	bin	nie in New York	gewesen.

haben (konjugiert) + Partizip II
Perfekt mit haben:
– die meisten Verben
– Verben mit Akkusativ
– alle reflexiven Verben

sein (konjugiert) + Partizip II
Perfekt mit sein:
– Verben mit Positionsveränderung:
 ich bin gegangen, ich bin gefahren
– Verben der Veränderung eines
 Zustands:
 ich bin aufgewacht, es ist passiert,
 es ist gelungen
– sein (ich bin gewesen),
 bleiben (ich bin geblieben)

Gebrauch

Das Perfekt wird vor allem in der mündlichen Sprache und bei persönlichen Schreiben verwendet.
Das Präteritum findet man häufiger in formalen und literarischen Texten.

Bei sein, haben und bei den Modalverben verwendet man meistens das Präteritum.
Auch einige andere häufig benutzte Verben wie wissen, denken, es geht, es gibt …
stehen meistens im Präteritum.

Präteritum – *sein/haben/werden*

Sein, haben und werden benutzt man in der Vergangenheit fast immer im Präteritum.

Infinitiv	sein	haben	werden
ich	war	hatte	wurde
du	warst	hattest	wurdest
er/es/sie/man	war	hatte	wurde
wir	waren	hatten	wurden
ihr	wart	hattet	wurdet
sie/Sie	waren	hatten	wurden

Präteritum – Modalverben

Die Modalverben benutzt man in der Vergangenheit fast immer im Präteritum.

Infinitiv	können	müssen	wollen	dürfen	sollen
ich	konnte	musste	wollte	durfte	sollte
du	konntest	musstest	wolltest	durftest	solltest
er/es/sie/man	konnte	musste	wollte	durfte	sollte
wir	konnten	mussten	wollten	durften	sollten
ihr	konntet	musstet	wolltet	durftet	solltet
sie/Sie	konnten	mussten	wollten	durften	sollten

Präteritum – regelmäßige Verben

Infinitiv	**sagen**	**arbeiten**
ich	sagte	arbeitete
du	sagtest	arbeitetest
er/es/sie/man	sagte	arbeitete
wir	sagten	arbeiteten
ihr	sagtet	arbeitetet
sie/Sie	sagten	arbeiteten

Sein Großvater arbeitete in seiner Jugend noch 48 Stunden pro Woche. Er sagte immer zu seinen Enkeln: „Die Menschen haben heute zu viel Freizeit. Da kommen sie nur auf dumme Ideen."

Präteritum – unregelmäßige Verben

Infinitiv	**kommen**	**schlafen**	**wissen**
ich	kam	schlief	wusste
du	kamst	schliefst	wusstest
er/es/sie/man	kam	schlief	wusste
wir	kamen	schliefen	wussten
ihr	kamt	schlieft	wusstet
sie/Sie	kamen	schliefen	wussten

Einige Verben wie z. B. wissen, denken, kennen, bringen haben die Endungen von den regelmäßigen Verben.
Sie verändern aber den Vokal: wusste, dachte, kannte, brachte

Eine Liste der unregelmäßigen Verben findest du im Schülerbuch auf Seite 135–136.

Plusquamperfekt

Sein oder haben im Präteritum + Partizip II

	Position 2		Ende	
Die Nazis	waren	1933 an die Macht	gekommen.	1939 begannen sie den Krieg.
Maja	hatte	ihre Fahrkarte	vergessen.	Sie musste eine neue kaufen.

Das Präteritum von haben oder sein steht auf Position 2. Das Partizip II steht am Ende.
Für die Verwendung von sein oder haben gelten die gleichen Regeln wie beim Perfekt.

> **Gebrauch**
>
> Das Plusquamperfekt wird häufiger in der geschriebenen Sprache gebraucht. Mit dem Plusquamperfekt zeigt man, dass ein Ereignis **vor** einem anderen Ereignis in der Vergangenheit passiert ist.
> Nachdem die Mauer gefallen war, **dauerte** es nur noch ein Jahr bis zur Wiedervereinigung.

ZUKUNFT

Präsens mit einer Zeitangabe

Aussagen über die Zukunft macht man meistens im Präsens mit einer Zeitangabe.

In den Sommerferien fliegen wir nach Rom.
Morgen schreiben wir einen Deutschtest.
Bald ist Mia mit der Schule fertig.

Nächstes Jahr fange ich an zu studieren.
Kommst du nachher zu mir?
Ich gehe später noch in die Stadt, kommt ihr mit?

Einige Zeitangaben, die Zukunft ausdrücken können:
bald, nachher, später, morgen, übermorgen
in zwei Stunden, in fünf Tagen, in einem Jahr, nächste Woche, nächstes Jahr

Futur mit *werden*

Wenn man eine Voraussage machen oder ein Versprechen geben möchte, benutzt man häufig das Futur mit werden:

werden (konjugiert) + Infinitiv

	Position 2		Ende
In zwei Jahren	werde	ich in Berlin	studieren.
Das Wetter	wird	sich in den nächsten Tagen nicht	ändern.
Wir	werden	sicher eine Lösung	finden.

Eine Form von werden steht auf Position 2 und der Infinitiv am Ende.

KONJUNKTIV II

Konjunktiv II – *würde*-Form

Bei den meisten Verben bildet man den Konjunktiv II mit: würd- + Infinitiv.

	Position 2		Ende
Sie	würde	gern allein	wohnen.
Mit wem	würdest	du gern	tanzen?

werden im Konjunktiv II	
ich	würde
du	würdest
er/es/sie/man	würde
wir	würden
ihr	würdet
sie/Sie	würden

Konjunktiv II – *sein, haben*

Bei sein und haben benutzt man fast immer die Konjunktiv-II-Formen.

Infinitiv	**sein**	**haben**
ich	wäre	hätte
du	wärst	hättest
er/es/sie/man	wäre	hätte
wir	wären	hätten
ihr	wärt	hättet
sie/Sie	wären	hätten

Ich hätte gern ein neues Fahrrad. Wäre das möglich?

Konjunktiv II – Modalverben

Bei den Modalverben benutzt man die Konjunktiv-II-Formen fast immer.

Infinitiv	**können**	**müssen**	**wollen**	**dürfen**	**sollen**
ich	könnte	müsste	wollte	dürfte	sollte
du	könntest	müsstest	wolltest	dürftest	solltest
er/es/sie/man	könnte	müsste	wollte	dürfte	sollte
wir	könnten	müssten	wollten	dürften	sollten
ihr	könntet	müsstet	wolltet	dürftet	solltet
sie/Sie	könnten	müssten	wollten	dürften	sollten

Könnte ich einen Termin am Dienstag bekommen?

Du solltest jeden Tag Sport machen, dann hättest du weniger gesundheitliche Probleme.

Konjunktiv II – Gebrauch

Wünsche	Ich würde gern viel reisen.
	Wir würden euch gerne am Wochenende besuchen.
Irreale Bedingungssätze	Wenn ich Zeit hätte, würde ich jeden Tag joggen.
Vorschläge	Wir sollten mal wieder zusammen kochen.
	Wir könnten im Juni ans Meer fahren.
	Ihr könntet doch zusammen lernen. Dann hättet ihr mehr Spaß.
Ratschläge	Du solltest mehr Zeit an der frischen Luft verbringen.
	Sie sollten mehr Gemüse essen.
Höfliche Bitten	Dürfte ich das Fenster aufmachen?
	Könntest du mir deinen Kuli leihen?
	Würdest du mir bitte in Mathe helfen?

PASSIV

Passiv Präsens und Präteritum

Aktiv	Der Arzt untersucht den Schüler.	Präsens
	Der Arzt untersuchte den Schüler.	Präteritum
Passiv	Der Schüler wird (vom Arzt) untersucht.	Präsens
	Der Schüler wurde (vom Arzt) untersucht.	Präteritum

Im Passiv stehen die konjugierten Formen von werden auf Position 2 und das Partizip II am Ende.

	Position 2		Ende
Tanja	wird	am Montag	operiert.
Der Text	wurde	ins Deutsche	übersetzt.
Wann	wurdet	ihr darüber	informiert?

Gebrauch

Das Passiv benutzt man häufig, wenn die Handlung im Vordergrund steht und nicht die Personen, die etwas tun.

Die Bundesrepublik wurde 1949 gegründet.
In Deutschland wird viel Bier getrunken.

Wenn man die Person, die etwas tut, im Passiv erwähnen möchte, verwendet man die Präposition von:
Der Text wurde von meiner Austauschschülerin ins Deutsche übersetzt.
Wir werden nächste Woche alle vom Arzt untersucht.

Smarti, stell dich nicht so an! Du wirst doch nur vom mir untersucht und nicht operiert.

VERBEN UND KASUS

Verben mit Nominativ, Akkusativ, Dativ

nur Nominativ	+ Akkusativ	+ Dativ	+ Dativ + Akkusativ
Er lacht.	Er möchte ein neues Handy.	Können Sie mir helfen?	Sie schenkt ihm eine Uhr.
Sie gehen ins Kino.	Sie hat einen schönen Rock.	Der Kuli gehört mir.	Er wünscht sich einen Laptop.

Es gibt nur wenige Verben mit Dativ. Einige wichtige sind:

danken	Ich danke Ihnen!	kündigen	Der Chef hat ihm gekündigt.
einfallen	Fällt euch etwas ein?	misstrauen	Sie misstraut allen Leuten.
erklären	Ich erkläre dir das.	nützen	Das nützt uns leider nichts.
fehlen	Du fehlst mir.	passen	Die Hose passt mir nicht.
folgen	Bitte folgt meinem Rat.	passieren	Was ist euch denn passiert?
gefallen	Er gefällt ihr.	stehen	Die Bluse steht dir gut.
gehorchen	Mein Hund gehorcht mir.	vertrauen	Wir vertrauen unserem Trainer.
gehören	Gehört euch der Ball?	wehtun	Das hat mir wehgetan!
gelingen	Das ist dir gut gelungen.	zuhören	Könnt ihr mir bitte zuhören!
gratulieren	Wir gratulieren euch!	zuschauen	Schaut ihm mal zu. Er kann es.
helfen	Er hilft mir.	zustimmen	Ich stimme Ihnen zu.

Verben mit Präpositionen – Fragewörter und Präpositionalpronomen

Einige Verben haben feste Präpositionen. Man muss immer das Verb mit der Präposition lernen.
sich interessieren für (+ Akk.) …, denken an (+ Akk.) …, sich freuen auf (+ Akk.) …,
sich engagieren für (+ Akk.) …

- Wofür interessierst du dich?

- Ich interessiere mich für Fußball. Interessierst du dich auch dafür?

Wenn die Präposition mit einem Vokal beginnt, dann steht zwischen da oder dem *w-Wort* und
der Präposition ein *r*.

- **Wo**r**an** denkst du gerade?
- Ich denke an das Geschenk für Jan.
- Oh, **da**r**an** *(an das Geschenk)* habe ich noch gar nicht gedacht.

Sachen	• Worauf freust du dich?		• Wofür interessierst du dich?
	■ **Auf** die Ferien.		■ **Für** Sport.
	• **Darauf** freue ich mich auch.		• **Dafür** interessiere ich mich auch.
Personen	• **Auf wen** wartest du?		• **Für wen** arbeitest du?
	■ **Auf** meinen Bruder.		■ **Für** Herrn Weimann.
	• Ich warte auch **auf ihn**.		• Ich arbeite auch **für ihn**.

Eine Liste der Verben mit Präpositionen steht im Schülerbuch auf Seite 137–138.

ARTIKEL UND PRONOMEN

Artikel

	maskulin	neutral	feminin	Plural
Nominativ	der Bruder ein Bruder kein Bruder	das Fahrrad ein Fahrrad kein Fahrrad	die Schwester eine Schwester keine Schwester	die Freunde — Freunde keine Freunde
Akkusativ	den Bruder einen Bruder keinen Bruder	das Fahrrad ein Fahrrad kein Fahrrad	die Schwester eine Schwester keine Schwester	die Freunde — Freunde keine Freunde
Dativ	dem Bruder einem Bruder keinem Bruder	dem Fahrrad einem Fahrrad keinem Fahrrad	der Schwester einer Schwester keiner Schwester	den Freunden — Freunden keinen Freunden
Genitiv	des Bruders eines Bruders keines Bruders	des Fahrrads eines Fahrrads keines Fahrrads	der Schwester einer Schwester keiner Schwester	der Freunde — * keiner Freunde

* Im Genitiv Plural existiert die indefinite Form nicht. Man verwendet die Umschreibung mit von:
Das ist das Auto von Freunden.

welch-, dies, jed-

welch-, dies- und jed- haben dieselben
Endungen wie der bestimmte Artikel.

● Welches Handy gehört dir?
■ Dieses.

jed- hat keinen Plural!
Im Plural benutzt man all-.

Jede Sportart hat ihre Vor- und Nachteile, aber
fast **alle** Sportarten machen mir Spaß.

Possessivartikel

Die Formen der Possessivartikel (mein, dein,
sein …) werden wie kein- gebildet.

Das ist das Fahrrad meines Bruders.

Genitiv

Damit man es besser aussprechen kann,
wird im Genitiv Singular manchmal an
das Nomen ein *e* eingefügt.

des Spaßes
des Hauses
des Tag(e)s

Bei Personennamen und -bezeichnungen
verwendet man das Genitiv -s.
Diese Form steht vor dem Nomen.

Beate: Beates Buch,
Papa: Papas Rucksack

derselbe, dasselbe, dieselbe

	der	das	die	die (Plural)
Nominativ	derselbe Rock	dasselbe T-Shirt	dieselbe Hose	dieselben Schuhe
Akkusativ	denselben Rock	dasselbe T-Shirt	dieselbe Hose	dieselben Schuhe
Dativ	demselben Rock	demselben T-Shirt	derselben Hose	denselben Schuhen
Genitiv	desselben Rockes	desselben T-Shirts	derselben Hose	derselben Schuhe

Das Wort besteht aus zwei Teilen. Es funktioniert wie Artikel und Adjektiv:

1. Der Artikel hat die normale Artikelendung.
2. Das Wort selbe- hat die normale Adjektivendung.

die gleiche Hose

dieselbe Hose

Nullartikel

Stoffnamen (Fleisch, Geld, Müll …) und andere nicht zählbare Dinge haben auch im Singular keinen Artikel.

das Fleisch	Magst du gerne – Fleisch?
der Hunger	Hast du – Hunger?
die Lust	Ich habe – Lust, ins Kino zu gehen. Kommst du mit?

Ebenso: Brot, Durst, Fisch, Geld, Gemüse, Joghurt, Käse, Obst, Quark, Wurst, Zeit …

Personalpronomen

Nominativ	Akkusativ	Dativ	Pronomen: man
ich	mich	mir	Wie schreibt **man** das?
du	dich	dir	Was kann **man** machen, wenn man
er	ihn	ihm	**seinen** Ausweis verloren hat?
es	es	ihm	In Deutschland isst **man** gerne
sie	sie	ihr	Kartoffeln.
wir	uns	uns	
ihr	euch	euch	Bei man steht das Verb in der 3. Person
sie/Sie	sie/Sie	ihnen/Ihnen	Singular. Der Possessivartikel ist sein.

Reflexivpronomen

Nominativ	Akkusativ	Dativ
ich	mich	mir
du	dich	dir
er/es/sie/man	sich	sich
wir	uns	uns
ihr	euch	euch
sie/Sie	sich	sich

Die Reflexivpronomen unterscheiden sich von den Personalpronomen im Akkusativ und Dativ nur in der 3. Person Singular und Plural.

Er hat ihn (seinen Freund) verletzt .
Er hat sich verletzt.

Sie haben sie (ihre Freunde) getroffen.
Miri und Sebil haben sich getroffen.

Indefinitpronomen und Possessivpronomen

	maskulin	neutral	feminin	Plural
Nominativ	einer	eins	eine	welche
	keiner	keins	keine	keine
	meiner	meins	meine	meine
Akkusativ	einen	eins	eine	welche
	keinen	keins	keine	keine
	meinen	meins	meine	meine
Dativ	einem	einem	einer	welchen
	keinem	keinem	keiner	keinen
	meinem	meinem	meiner	meinen

Ist das mein Handy?

Nein, das ist meins. Deins liegt da.

Ich habe meine Stifte vergessen, hast du welche?

Nein, ich habe keine. Vielleicht hat Taya welche.

Indefinitpronomen: *jemand, alle, niemand, keiner, etwas, alles, nichts*

Tut jemand etwas für die Umwelt?	↔	Keiner tut etwas für die Umwelt.
Alle tun etwas für die Umwelt.	↔	Niemand tut etwas für die Umwelt.
Kannst du etwas sehen?	↔	Nein, es ist total dunkel, ich sehe nichts.
Hast du schon alles gekauft?	↔	Nein, ich habe noch nichts gekauft.

ADJEKTIVE

Adjektive vor einem Nomen (attributiv)

	Singular maskulin			Singular neutral			Singular feminin			Plural maskulin/neutral/feminin		
Nominativ	der	tolle	Mann	das	tolle	Handy	die	tolle	Frau	die	tollen	Männer/Handys/Frauen
	ein	toller	…	ein	tolles	…	eine	tolle	Frau	—	tolle	…
	kein	toller	…	kein	tolles	…	keine	tolle	Frau	keine	tollen	…
	—	toller	…	—	tolles	…	—	tolle	Frau	—	tolle	…
Akkusativ	den	tollen	Mann	das	tolle	Handy	die	tolle	Frau	die	tollen	Männer/Handys/Frauen
	einen	tollen	…	ein	tolles	…	eine	tolle	Frau	—	tolle	…
	keinen	tollen	…	kein	tolles	…	keine	tolle	Frau	keine	tollen	…
	—	tollen	…	—	tolles	…	—	tolle	Frau	—	tolle	…
Dativ	dem	tollen	Mann	dem	tollen	Handy	der	tollen	Frau	den	tollen	Männer/Handys/Frauen
	einem	tollen	…	einem	tollen	…	einer	tollen	Frau	—	tollen	…
	keinem	tollen	…	keinem	tollen	…	keiner	tollen	Frau	keinen	tollen	…
	—	tollem	…	—	tollem	…	—	toller	Frau	—	tollen	…

Adjektive nach dem Possessivartikel haben dieselbe Endung wie Adjektive nach kein-.

Das ist mein neues Handy.
Wie findest du unsere tollen Handys?

Nach welcher, dieser, jeder haben alle Adjektive die Endung wie nach dem bestimmten Artikel.

Welchen tollen Mann meinst du?
Diesen großen, sportlichen Mann da finde ich toll.

Adjektive nach dem Nomen oder ohne Nomen (prädikativ)

Malala ist weltweit **bekannt**.
Mathe finde ich **interessant**.
Frankfurt ist **groß**, aber München ist **größer** und Berlin ist am **größten**.

Adjektive nach dem Nomen haben keine Endungen.

Adjektive: Komparativ und Superlativ

		Komparativ	Superlativ	
regelmäßig	sportlich	sportlicher	am sportlichsten	der/das/die sportlichste …
	ruhig	ruhiger	ruhigsten	ruhigste …
regelmäßig a → ä	alt	älter	am ältesten	der/das/die älteste …
mit Umlaut o → ö	groß	größer	größten	größte …
u → ü	jung	jünger	jüngsten	jüngste …
unregelmäßig	gern	lieber	am liebsten	der/das/die liebste …
	gut	besser	besten	beste …
	viel	mehr	meisten	meiste …
	hoch	höher	höchsten	höchste …
	nah	näher	nächsten	nächste …
	groß	größer	größten	größte …

Mein Freund ist größer als ich, aber ich bin älter.

Ich habe zwei ältere Schwestern, meine älteste Schwester ist schon fertig mit dem Studium.

– Nach dem Nomen (prädikativ) verwendet man die Form mit am: am schönsten, am besten
– Vor dem Nomen (attributiv) steht beim Superlativ ein bestimmter Artikel oder Possessivartikel:
   die beste Band, mein ältester Freund
– Vor dem Nomen (attributiv) werden die Komparativ- und Superlativformen dekliniert:
   mein jüngerer Bruder

Nach dem Nomen (prädikativ)	Vor dem Nomen (attributiv)
Luis ist älter als ich.	Luis ist mein älterer Bruder.
Die Band „Milky Chance" gefällt mir am besten.	„Milky Chance" ist für mich die beste Band.

Partizip I (Präsens)

Infinitiv   + d + Endung
bellen   + d + Endung   Bellende Hunde beißen nicht.
kommen + d + Endung   Am kommenden Wochenende fahren wir nach Salzburg.

Das Partizip I vor dem Nomen (attributiv) hat die normalen Adjektivendungen.

Die Partizipien können erweitert werden:
Der bellende Hund stört mich.
Der laut bellende Hund stört mich.
Der im Garten laut bellende Hund stört mich.

PRÄPOSITIONEN

Präpositionen mit ihrem Kasus

mit Dativ	mit Akkusativ	Wechselpräpositionen: mit Dativ (Wo?) oder Akkusativ (Wohin?)	mit Genitiv
aus, bei, mit, nach, seit, von, zu	für, durch, gegen, ohne, um, um … herum	in, an, auf, über, unter, vor, hinter, zwischen, neben	während, wegen, trotz, innerhalb, außerhalb

Lokale Präpositionen (Bedeutung)

Wohin?	Wo?	Woher?
Ich gehe in die Schule. Sie gehen ins Kino.	Ich bin in der Schule. Sie sind im Kino.	Ich komme aus /von der Schule. Er kommt aus dem /vom Kino.
Sie fährt in die Schweiz. Wir fahren in den Wald.	Sie lebt in der Schweiz. Wir wandern im Wald.	Sie kommt aus der Schweiz. Wir kommen aus dem Wald.
Er fährt zu Freunden.	Er wohnt bei Freunden.	Er kommt von den Freunden zurück.
Sie gehen zum Bahnhof.	Sie sind am /im Bahnhof.	Sie kommen vom Bahnhof.
Ich fahre nach Deutschland. Ich fahre nach Berlin.	Ich bin in Deutschland. Ich bin in Berlin.	Ich komme aus Deutschland. Ich komme aus Berlin.
! Ich gehe nach Hause.	Ich bin zu Hause.	Ich komme gerade von zu Hause.

an + D	Ich warte an der Bushaltestelle.
an + A	Sie hängt das Bild an die Wand.
auf + D	Mein Computer steht auf dem Schreibtisch.
auf + A	In den letzten Ferien sind wir auf das Matterhorn gestiegen.
aus + D	Er kommt aus Deutschland und sie kommt aus der Schweiz.
außerhalb + G	Die Jugendherberge liegt etwas außerhalb der Stadt.
bei + D	Wir übernachten bei unseren Freunden.
bei (ohne Artikel)	Potsdam liegt bei Berlin.
durch + A	Wir sind durch die ganze Stadt gefahren, haben aber keine Pizzeria gefunden.
gegen + A	Das Schiff ist gegen den Eisberg gefahren.
hinter + D	Hinter dem Haus ist ein großer Garten.
hinter + A	Sie geht hinter das Haus.
innerhalb + G	Das Ticket gilt innerhalb der Stadtgrenze.
in + D	Wir wohnen in einer Kleinstadt.

in + A	Wir fahren in die Schweiz.
	Sie gehen ins Konzert.
nach (ohne Artikel)	Sie machen eine Klassenfahrt nach Berlin.
neben + D	Wir wohnen rechts neben der Bäckerei.
neben + A	Sie legt das Messer neben den Teller.
über + D	Über dem Tisch hängt eine Lampe.
über + A	Die Brücke geht über den Rhein.
	Der Zug fährt über Kassel nach Berlin.
	Gehen Sie hier über die Straße und dann rechts.
unter + D	Wir sitzen gemütlich unter dem Sonnenschirm und trinken Kaffee.
unter + A	Ich stelle den Papierkorb unter den Tisch.
um + A	Sie joggen um den See.
von + D	Ich komme von der Schule.
von + D … nach	Wir sind mit dem Fahrrad vom Bodensee nach Köln gefahren.
vor + D	Vor dem Bahnhof ist ein großer Platz.
vor + A	Ich habe den Tisch vor den Sessel gestellt.
zu + D	Wie komme ich zum Bahnhof?
	Sie fahren in den Ferien zu ihren Freunden.
zwischen + A	Ich habe die Hängematte zwischen zwei Bäume gehängt.
zwischen + D	Jetzt liege ich zwischen den Bäumen und lese.

Temporale Präpositionen (Bedeutung)

ab + D	Ab dem 1. Mai kann man Karten für das Musical kaufen.
ab (ohne Artikel)	Ab Mittwoch haben wir Ferien.
an + D	am Samstag, am Vormittag, am 1. Januar …
	an Ostern/Weihnachten
außerhalb + G	Außerhalb der Schulferien kommen nicht viele Touristen.
bei + D	Beim Bungeespringen muss man mit der Angst fertigwerden.
	Bei diesem Wetter gehe ich nicht raus.
bis (ohne Artikel)	Bis Freitag muss die Präsentation fertig sein.
bis … zu + D	Bis zum Freitag muss die Präsentation fertig sein.
gegen (ohne Artikel)	Er kommt gegen drei Uhr.
in + D	im Sommer, im Januar, in den Ferien, in dieser Woche, im nächsten Jahr …
	Wo möchtest du in zehn Jahren sein?
	In drei Wochen schreiben wir einen Test.
innerhalb + G	Der Brief kommt innerhalb der nächsten Woche.

nach + D	Es ist Viertel nach acht.
	nach dem Essen, nach Weihnachten, nach der Schule …
seit + D	Ich lerne schon seit vier Jahren Deutsch.
um (ohne Artikel)	um drei Uhr, um halb vier, um 22.15 Uhr
von … bis (ohne Artikel)	Unsere Mittagspause geht von 13 bis 14 Uhr.
vor + D	Es ist Viertel vor acht.
	vor dem Essen, vor Weihnachten, vor der Schule …
	Wo warst du vor zehn Jahren?
	Vor einer Woche haben wir eine Mathearbeit geschrieben.
zu + D	Zum Frühstück esse ich kaum etwas, ich trinke nur einen Tee.
zu (ohne Artikel)	Zu Ostern/Weihnachten kommt meine Tante zu Besuch.
während + G	Während des Urlaubs will ich nichts von der Schule hören.

Weitere Präpositionen (Bedeutung)

aus + D	Die meisten Flaschen sind aus Plastik.
durch + A	Wir haben das Hotel durch einen großen Zufall gefunden.
für + A	Das Geschenk ist für dich.
	Ich bin für den Umweltschutz.
gegen + A	Er ist gegen (die) Atomenergie.
mit + D	Er fährt mit dem Fahrrad.
	Sie fahren mit ihren Freunden in Urlaub.
	Ich schreibe mit Bleistift.
trotz + G	Trotz des Staus sind wir noch pünktlich angekommen.
von + D	Lüneburg liegt südlich von Hamburg.
	Onkel Michael ist der Bruder von meiner Mutter.
wegen + G	Wegen des Sturms kann das Flugzeug nicht starten.

Präposition + *einander*

Wie denken Schweizer über Deutsche? Wie denken Deutsche über Schweizer?
Wie denken Schweizer und Deutsche über**einander**?
Wir sollten mehr mit**einander** arbeiten und nicht gegen**einander**.
Die zwei sind total ineinander verliebt.
Sie glauben, sie wissen alles voneinander.

Ebenso: auseinander, durcheinander, füreinander, zueinander …

DIE WÖRTER IM SATZ

Konjunktionen mit Hauptsätzen: *aber, denn, und, sondern, oder*

Hauptsatz	Konjunktion	Hauptsatz
Ich bin Vegetarierin,	aber	mein Bruder isst gern Fleisch.
Susanne isst viel Gemüse,	denn	sie mag kein Fleisch.
Thomas ist nach in Wien gefahren	und	(er) hat dort viele Fotos gemacht.
Ich fahre nicht mit dem Bus nach Hause,	sondern	(ich) gehe zu Fuß.
Haben wir noch etwas zu trinken	oder	soll ich noch Wasser kaufen?

Satzverbindungen

Hauptsatz 1	Hauptsatz 2		
	Position 1	Position 2	
Ich möchte eine Reise machen,	deshalb	spare	ich Geld.
Irma will nach Wien fahren,	darum	lernt	sie Deutsch.
Zuerst suche ich mir einen Job,	dann	frage	ich nach einem Zimmer.
Wir haben Fußball gespielt,	danach	waren	wir sehr müde.
Unsere Mannschaft hat gut gespielt,	trotzdem	haben	wir nicht gewonnen.
Jan macht ein Ausbildung,	außerdem	lernt	er für seine Deutschprüfung.

Konjunktionen mit Nebensätzen

Was?	Sie schreibt, **dass** ich sie vom Bahnhof abholen soll. Mir gefällt, **dass** so viele Leute an die Umwelt denken.
Grund: Warum?	Ich muss zum Arzt, **weil** ich mich verletzt habe.
Zeit: Wann?	Ich gehe essen, **wenn** ich fertig bin. Bruno und Ina haben sich gestritten, **bevor** Alice kam. Inis war eifersüchtig, **als** Tim Tania angeschaut hat. Georg wartete im Café, **während** seine Freundin Schuhe kaufte. Annemarie spricht nicht mehr mit Odine, **seit** die mit Clemens zusammen ist. Ich habe meine Freundin getroffen, **nachdem** ich die Aufgaben gemacht hatte.
Bedingung	Du kannst eine Million gewinnen, **wenn** du Glück hast. Ich würde gern zu der Party kommen, **wenn** ich Zeit hätte.
Gegen die Erwartung	Sam hat noch keinen Unfall gehabt, **obwohl** er sehr schnell fährt.
Zweck: Wozu?	Ich nehme meinen Bruder mit, **damit** du ihn endlich kennenlernst. Ich treibe Sport, **damit** ich fit bleibe. = Ich treibe Sport, **um** fit zu bleiben. Wenn das Subjekt im Haupt- und Nebensatz gleich ist, verwendet man häufig um … zu. **Ich** bin zum Arzt gegangen, um mich untersuchen zu lassen. Wenn das Subjekt im Haupt- und Nebensatz nicht gleich ist, muss man damit verwenden. **Der Arzt** verschreibt mir ein neues Medikament, **damit ich** endlich gesund werde.

Zweiteilige Konjunktionen

Das eine oder das andere:	Das eine und das andere:
Entweder mache ich jetzt die Prüfung **oder** ich mache noch einen Sprachkurs.	Sprachen sind kein Problem für mich: Ich kann **sowohl** Englisch **als auch** Französisch.

Nicht nur das eine, das andere auch noch:	Das eine nicht und das andere auch nicht:
Das Tablet ist **nicht nur** zu teuer, **sondern** (es) funktioniert **auch** nicht gut.	Österreich kenne ich nicht so gut. Ich war bisher **weder** in Wien **noch** in Salzburg.

Nebensatz	Hauptsatz		
Verb am Ende	Position 1	Verb: Position 2	
Je schneller die Autos fahren,	**desto** mehr Benzin	verbrauchen	sie.
Je höher man in die Berge geht,	**desto** kälter	wird	es.
Der *je*-Satz ist steht immer am Anfang.	desto + Komparativ steht auf Position 1.		

Vergleichssätze mit *wie* und *als*

so + Adjektiv + wie	Adjektiv im Komparativ + als
Arbeitet jemand so **fleißig** wie ich?	Mein Freund ist drei Jahre **älter** als ich.
Er ist nicht so **stark**, wie er aussieht.	Der Film war **besser**, als ich dachte.
Das Handy ist nicht so **teuer**, wie ich gedacht habe.	

Infinitiv mit *zu*

Es ist nicht schwer, ein Buch auf Deutsch zu lesen.
Simone hat keine Zeit, jede Woche ihre Großeltern zu besuchen.
Ich habe gerade angefangen, die Präsentation vorzubereiten.
Er hat keine Lust, schwimmen zu gehen.

Einige Ausdrücke und Verben, nach denen der Infinitiv mit zu steht:

Ausdrücke mit Nomen	Verben	Ausdrücke mit Adjektiven
Ich habe (keine) Lust, ...	anfangen, aufhören, bitten, empfehlen, erlauben, verbieten, raten, vergessen, versprechen, vorhaben …	Es ist wichtig/sinnvoll/ notwendig/schlecht/gut/ richtig/falsch …
Ich habe (keine) Zeit, …		
Es macht mir Spaß, ...		

Indirekte Fragen

Entscheidungsfrage	Indirekte Frage mit ob
Interessiert sich Fred für Jazz?	Kannst du mir sagen, **ob** Fred sich für Jazz interessiert?
Hast du den Film schon gesehen?	Er wollte wissen, **ob** ich den Film schon gesehen habe.

W-Fragen	Indirekte Frage mit Fragewort
Was bedeutet dieses Wort?	Kannst du mir sagen, **was** dieses Wort bedeutet?
Wofür interessiert sich Biyi?	Ich weiß nicht, **wofür** Biyi sich interessiert.

Relativsätze

Der Relativsatz steht nahe bei dem Nomen, das er genauer definiert.

Hauptsatz (Teil 1)	Relativsatz	Hauptsatz (Teil 2)
Der Junge,	dem ich meine Handynummer gegeben habe,	will sich mit mir verabreden.

Relativpronomen

	m	n	f	Plural
Nominativ	der	das	die	die
Akkusativ	den	das	die	die
Dativ	dem	dem	der	denen

Das Genus kommt vom Nomen, das bestimmt wird, der Kasus vom Verb.

Ein Freund ist ein Mensch, den ich mag.   mögen + Akkusativ
Ein Freund ist ein Mensch, dem ich vertraue.   vertrauen + Dativ

Relativsätze mit Präpositionen

Die Präposition bestimmt den Kasus vom Relativpronomen.

Das Buch, nach dem du mich gefragt hast, war nicht sehr interessant.   fragen nach + Dativ
Woher kennst du den Jungen, auf den du wartest?   warten auf + Akkusativ

Relativpronomen *wo, was, wie*

Ich mache das, was ich will.

In dem Artikel steht etwas, was mich interessiert.

Ich versuche es genauso zu machen, wie ich es im Video gesehen habe.

In Regionen, wo es wenig regnet, ist Trinkwasser besonders wertvoll.

Wir haben in dem Haus übernachtet, wo früher mein Opa gewohnt hat. (eher mündlich)

Wir haben in dem Haus übernachtet, in dem früher mein Opa gewohnt hat. (eher schriftlich)

Sätze mit zwei Ergänzungen

Person (Dativ) vor Sache (Akkusativ)

Ich wollte	meiner Freundin (D)	einen iPod (A)	kaufen.
Ich wollte	ihr (D)	einen iPod (A)	kaufen.

Wenn die Sache ein Pronomen ist, dann steht die Sache (Akkusativ) zuerst.

Ich wollte	ihn (A)	ihr (D)	kaufen.
Ich wollte	ihn (A)	meiner Freundin (D)	kaufen.

Wichtige Verben mit zwei Ergänzungen (Dativ und Akkusativ):
erklären, empfehlen, geben, kaufen, leihen, schenken, zeigen

Negation mit *kein-, nicht, nichts, nie*

Hast du ein Motorrad?	Nein, ich habe kein Motorrad.
Kannst du Motorrad fahren?	Nein, ich kann nicht Motorrad fahren.
Hast du schon etwas gearbeitet?	Nein, ich habe nichts gearbeitet.
Bist du schon einmal Motorrad gefahren?	Nein, ich bin noch nie Motorrad gefahren.
Fährst du immer Motorrad?	Nein, ich fahre nie Motorrad.

ÜBERSICHT ÜBER DIE SATZMUSTER

Aussagesätze

		Position 2		Ende
	Das	ist	Luca.	
	Seit Juli	ist	er in unserer Klasse.	
trennbare Verben	Er	sieht	gut	aus.
sein + Adjektiv	Er	ist	auch wirklich sehr	nett.
Verb + Verb	Er	geht	sehr gerne	schwimmen.
Verb + Nomen	Er	spielt	leider nicht	Tennis.
Modalverben	Er	kann	sehr gut	tanzen.
Perfekt	Er	hat	schon viele Preise	gewonnen.
Passiv	Er	wird	von allen sehr	bewundert.
Konjunktiv II	Ich	würde	gerne mit ihm	tanzen.

Er ist wirklich sehr nett.
Er ist super in Bio. Er spielt leider nicht Tennis.
Was macht er wohl abends?
Ich würde gerne mit ihm tanzen.

W-Fragen

		Position 2		Ende
	Was	machen	wir heute Abend?	
trennbare Verben	Wann	fängt	der Film	an?
Perfekt	Wer	hat	mein Handy	gesehen?
Modalverben	Wo	kann	ich mein Fahrrad	hinstellen?

Ja/Nein-Fragen

Verb		Ende
Kommst	du	mit?
Will	deine Schwester auch	mitkommen?

Imperativsätze

Verb		Ende
Schreib	mir bitte eine WhatsApp.	
Geben	Sie mir bitte mein Geld	zurück!
Macht	bitte die Tür	zu.

Nebensätze

Hauptsatz	Konjunktion	Nebensatz	Ende
Er kommt später,	weil	er viel Arbeit	hat.
Er kommt später,	weil	er noch Janina	abholt.
Wir trainieren,	damit	wir das Spiel	gewinnen.
Ich kannte sie nicht,	bevor	sie an unsere Schule	kam.
Susi war eifersüchtig,	als	sie Fred und Marina	sah.

Nebensätze am Satzanfang

Nebensatz			Hauptsatz		
Konjunktion		Ende		Position 2	
Wenn	ich Zeit	habe,	(dann)	komme	ich heute Abend.
Wann	die Party	beginnt,	(das)	weiß	ich auch nicht.
Weil	ich Prüfung	habe,		kann	ich nicht zur Party kommen.
Dass	Rauchen ungesund	ist,		weiß	heute wirklich jedes Kind.

Jeder ist käuflich – ein Fall für Patrick Reich

DaF-Lernkrimi A2 – B1 von Volker Borbein und Marie Claire Lohéac-Wieders
(ISBN 978-3-06-120746-5)

Personen

Petra von der Aue weiß nicht mehr weiter. Was ist mit ihrem Mann los? Liebt er eine andere? Ist seine politische Karriere in Gefahr? Petra von der Aue bittet Privatdetektiv Patrick Reich um Hilfe. Er entdeckt ein Geheimnis.

Die Hauptpersonen dieser Geschichte sind:

Jürgen von der Aue
Konservativer Politiker.
Er will ganz nach oben.

Johannes Burg
Er steht in Konkurrenz zu Jürgen von der Aue und handelt auch so.

Petra von der Aue
Sie hat Angst, ihren Mann zu verlieren.

Maria Burg
Ehefrau von Johannes Burg.
Sie hat eine heimliche Affäre.

Andreas Kreuz
Bruder von Maria Burg.
Was weiß er über Jürgen von der Aue?

Konrad Wegschneider
Radfahrer

Beate Selich
Freundin von Petra von der Aue.

Richard Tauber
Kriminalhauptkommissar.
Freund von Patrick Reich.

Patrick Reich
Privatdetektiv

Constanze Zeigen
Lebensgefährtin von Patrick Reich.

Ort und Zeit der Handlung: Kassel, im August

Kapitel | 4

15. August

Privatdetektiv Patrick Reich wartet seit mehr als einer Stunde in der Tiefgarage am Friedrichsplatz[1] auf Jürgen von der Aue. Es ist 18.30 Uhr. Patrick liebt seinen Beruf. Nur eines fällt ihm sehr schwer: das Warten. Patrick nimmt ein Buch aus dem Handschuhfach. Er blättert darin herum. Ab und zu legt er es beiseite. Er blickt um sich. Nein, es tut sich nichts. Der BMW steht am selben Platz. Patrick hat so geparkt, dass er jederzeit Jürgen von der Aue nachfahren kann. Der Detektiv erinnert sich an einen Fall, es ging um Erpressung[2], bei dem er mit seinem Auto in der falschen Richtung stand. Ein Fehler mit fatalen Folgen. Diesen Fehler macht er kein zweites Mal.

Seit Wochen hat es nicht geregnet. Kassel leidet unter der großen Hitze. So heiß war es im August schon lange nicht mehr. Die Luft in der Tiefgarage war noch nie gut, heute ist sie unerträglich. Patrick sucht im Radio den Deutschlandfunk, seinen Lieblingssender. Es kommen nur unverständliche Laute. Klar! Tiefgarage! Gut kombiniert, Herr Detektiv! Gerade als er eine CD einlegen will, kommt Jürgen von der Aue. Er steigt in sein Auto und fährt los. Patrick Reich folgt ihm. Jürgen von der Aue nimmt die Ausfahrt Steinweg[3] und biegt sofort rechts ab in die Straße Zur Karlsaue. Er kommt vorbei an der Orangerie[4], für Sekunden ist der Blick frei auf die Karlsaue. Was für ein Park!

Jürgen von der Aue fährt an der Fulda[5] entlang. Bäume und Häuser spiegeln sich im Wasser. Jürgen von der Aue fährt langsamer. Er sucht einen Parkplatz. Er hält an und steigt aus. Er geht über die Straße in die Gaststätte „Zur Schwimmbadbrücke"[6].

Der Privatdetektiv folgt ihm. In der Gaststätte ist nichts los. Es ist zu warm, um sich in geschlossenen Räumen aufzuhalten. Jürgen von der Aue geht auf die Terrasse, wo Gäste kühle Getränke trinken. Einige essen trotz der Hitze die Spezialität des Hauses: Schnitzel mit Bratkartoffeln.

Jürgen von der Aue blickt um sich und geht zu einem Tisch, an dem eine attraktive Frau sitzt. Sie trägt ein sportliches Sommerkleid und einen Strohhut. Jürgen von der Aue umarmt sie kurz und setzt sich ihr gegenüber. Die Frau berührt die Hände von Jürgen. Sie sieht glücklich aus.

---

1   einer der größten städtischen Plätze in Deutschland
2   jemanden zwingen, Geld zu geben oder etwas zu tun
3   Straße am Staatstheater
4   Museum für Astronomie und Technikgeschichte mit Planetarium: *www.museum-kassel.de*
5   Fluss
6   Gaststätte an der Fulda gelegen, in der Nähe des Freibades „Aue-Bad"

Bildquellen

Cover Fotolia/Syda Productions – **S. 5** Shutterstock/Monkey Business Images – **S. 6** links: Shutterstock/Amazingmikael; 2. von links: Shutterstock/SnowWhiteimages; 2. von rechts: Shutterstock/LADO; rechts: Shutterstock/Ollyy – **S. 8** oben: Shutterstock/Fotoluminate LLC; Mitte: Philipp Lahm-Stiftung; unten: action press/Michael Wallrath – **S. 9** oben: action press/WAZ FOTOPOOL; unten: imago/Spöttel Picture – **S. 10** oben: Shutterstock/Monkey Business Images; Mitte: Shutterstock/morrowlight; unten: Shutterstock/Toniflap – **S. 11** Shutterstock/ChameleonsEye – **S. 12** links: Shutterstock/Albina Tiplyashina; 2. von links: Shutterstock/pikselstock; 2. von rechts: Shutterstock/Dmytro Zinkevych; rechts: Shutterstock/Monika Wisniewska – **S. 14** oben: Shutterstock/VanderWolf Images; unten: Shutterstock/chatursunil – **S. 16** oben: Shutterstock/India Picture; unten: Shutterstock/Monkey Business Images – **S. 19** links: Shutterstock/BestPhotoPlus; rechts: www.colourbox.de – **S. 22** Shutterstock/Oleksiy Mark – **S. 24** 1: Shutterstock/Jeff Wasserman; 2: Shutterstock/Ollyy; 3: Shutterstock/Volt Collection – **S. 26** 1: Shutterstock/vector graphics; 2: Shutterstock/Artisticco; 3: Shutterstock/iconerinfostock – **S. 28** Shutterstock/Opka – **S. 32** Shutterstock/Rawpixel.com – **S. 33** Fotolia/yossarian6 – **S. 36** Shutterstock/Login – **S. 37** Shutterstock/Photographee.eu – **S. 38** Shutterstock/Aleksandra Kucewicz – **S. 43** Shutterstock/Rudy Balasko – **S. 45** Shutterstock/Ami Parikh – **S. 46** oben: Shutterstock/Jayme Burrows; unten: Shutterstock/William Perugini – **S. 48** Shutterstock/Suzanne Tucker – **S. 49** Shutterstock/gallofoto – **S. 56** Shutterstock/elbud – **S. 58** Shutterstock/Giuseppe Parisi – **S. 65** A: Shutterstock/FERNANDO BLANCO CALZADA; B: Shutterstock/svetlana55; C: akg-images; D: Shutterstock/Shane Maritch; E: Shutterstock/Roberaten – **S. 68** oben: Shutterstock/Jinga; unten: Shutterstock/Pinkcandy – **S. 70** Shutterstock/Brilliant Eye – **S. 72** oben: Shutterstock/Xiaojiao Wang; unten: Shutterstock/Vitalii Nesterchuk – **S. 74** oben: Shutterstock/Boris Stroujko; unten links: Shutterstock/Daniel M Ernst; unten Mitte: Shutterstock/Tom Wang; unten rechts: Shutterstock/Marko Tomicic – **S. 76** oben: Cornelsen/Hugo Herold Fotokunst; unten links: Shutterstock/Traveler; unten rechts: Shutterstock/Heiko Kueverling – **S. 77** Shutterstock/Kinga – **S. 78** links: Shutterstock/Monkey Business Images; Mitte: Shutterstock/ZouZou; rechts: Shutterstock/Elena Yakusheva – **S. 81** links: Shutterstock/Alena Kirdina; 2. von links: Shutterstock/Smileus; 2. von rechts: Shutterstock/Lina Truman; rechts: Shutterstock/Pasko Maksim – **S. 82** Shutterstock/canadastock – **S. 85** Shutterstock/Andrey_Popov – **S. 88** oben: Shutterstock/Sea Wave; unten: Shutterstock/Teun van den Dries – **S. 92** links: Shutterstock/Ruslan Guzov; rechts: Shutterstock/Steve Lovegrove – **S. 93** Shutterstock/Roman Vukolov – **S. 96** links: Shutterstock/Joshua Resnick; Mitte: Shutterstock/ESTUDI M6; rechts: Shutterstock/Ottochka – **S. 98** Anthony Molina – **S. 103** Shutterstock/Bastiaan Schuit – **S. 104** oben: Shutterstock/Steve Photography; Mitte: Shutterstock/ArTono – **S. 105** Shutterstock/pixelklex – **S. 106** links: Shutterstock/ipolsone; 2. von links: Shutterstock/PlusONE; 2. von rechts: Shutterstock/elbud; rechts: Shutterstock/Larry Bruce; A: Shutterstock/Romolo Tavani; B: Shutterstock/spyarm; C: Shutterstock/hecke61; D: akg-images – **S. 132** Shutterstock/bikeriderlondon

Karten/Grafiken

S. 18 Statista 2016 – **S. 104** unten: Cornelsen/Volkhard Binder

Textquellen

S. 46 ijgd – **S. 54** „Das Beste" Text von Kloss, Stefanie/Nowak, Andreas/ Stolle, Thomas/Stolle, Johannes, Silbermond Musikverlag GmbH bei BMG Rights Management GmbH, Berlin – **S. 93** Autor: Stefan Grundhoff, Titel: BMW 507 - Wirtschaftswunder-Schönheit, aus: FOCUS Online vom 12.06.2009, Link zum Artikel: http://www.focus.de/auto/gebrauchtwagen/oldtimer/bmw/tid-14372/bmw-507-wirtschaftswunder-schoenheit_aid_402354.html – **S. 111** „KRIMINAL TANGO" Words by A. LOCATELLI, Music by P. TROMBETTA, © 1959 by Edizioni SUVINI ZERBONI S.p.A. - Milano / PEER Edizioni Musicali s.r.l. - Milano, © 2001 by SUGARMUSIC S.p.A. - Milano / PEER Edizioni Musicali s.r.l. - Milano, © 2004 by SUGARMUSIC Sp.A. - Galleria del Corso, 4 -20122 Milano, Edizioni SOUTHERN MUSIC s.r.l. - Piazza del Liberty, 2 - 20121 Milano, All rights reserved. International Copyright secured. Reprinted by kind permission of Hal Leonard MGB srl - Milano